LES TRAINS-CIMETIÈRES

G.-J. ARNAUD

LES TRAINS-CIMETIÈRES

LA COMPAGNIE DES GLACES — 21

FLEUVE NOIR

Édition originale
parue dans la collection Anticipation
sous le numéro 1351

© 1985, « Éditions Fleuve Noir », Paris.

ISBN 2-265-04453-9

CHAPITRE PREMIER

Le vieil homme attendait, assis sur la banquette usée de ce wagon vétuste. Les autres voyageurs avaient préféré descendre sur les quais de la gare-frontière pour se dégourdir les jambes, se procurer de la nourriture et des boissons chaudes. Depuis ces derniers jours ils parlaient tous avec ravissement des produits qu'ils trouveraient, une fois arrivés au terme de leur long voyage. Dès que le train avait stoppé, ils s'étaient tous rués au-dehors.

Le vieil homme avait faim et soif. Depuis la veille il avait épuisé ses provisions et n'avait pas osé demander quelque chose à manger à ses voisins, aussi démunis que lui. Le train avait été rançonné en traversant les petites Compagnies de l'Australienne. Il avait fallu payer constamment, soit un péage légal, soit se soumettre à un racket continuel. Il avait réussi à cacher un peu d'or sur lui et ne voulait pas l'échanger tout de suite.

Un homme de la police ferroviaire se présenta à la porte du compartiment, salua avec courtoisie ce voyageur solitaire aux chevaux blancs, à l'air épuisé. Instinctivement le vieil homme tendit son passeport fédéral.

— Melkian, n'est-ce pas? monsieur Melkian.

Voyageant pour votre plaisir ? Vous venez passer le jour de la nouvelle année avec nous, monsieur ?

— La nouvelle année ?

— Vous savez bien, les Compagnies se sont mises d'accord pour décider qu'aujourd'hui c'était le premier janvier 2360. On ne savait plus très bien où on en était. Certains affirmaient que nous vivions en 2362, d'autres en 2359. C'était infernal. Et désormais plus d'hésitation, nous sommes le premier janvier 2360 et la Compagnie de la Banquise organise de grandes fêtes. Vous devriez aller voir, monsieur Melkian. Il y a un buffet gratuit, des boissons, des amusements. Le train ne repartira pas avant la nuit.

Il se demanda si le vieil homme comprenait tout ce qu'il disait. Il feuilleta à nouveau le passeport fédéral. Il avait reçu des consignes d'indulgence pour cette grande occasion, mais il ne s'agissait pas non plus de laisser entrer n'importe qui dans la concession. Le voyageur Melkian occupait un compartiment de troisième classe, portait des vêtements modestes. Une combinaison isotherme datant de cinquante ans, avec des pièces ressoudées maladroitement.

— Vous venez vraiment pour le plaisir, voyageur Melkian ?

Désormais on disait souvent ainsi. Voyageur un tel. Comme dans d'autres concessions on donnait du « camarade », du « citoyen », ou du « cher actionnaire ».

— C'est-à-dire, je voulais visiter Kaménépolis. Ses célèbres musées, voir ses théâtres, ses cinémas, ses studios. On dit que c'est une station prodigieuse.

— Nous avons aussi Titanpolis, voyageur Melkian. La fabuleuse cité cristalline aux vingt-cinq coupoles étincelantes. C'est un spectacle unique sur la planète.

— Je crois que je me contenterai de Kaménépolis, dit le voyageur. Mes revenus sont modestes...

Le Ferro hésita un peu, referma le passeport et le lui rendit :

— Allez manger un morceau. Il y a des porcs entiers, des bœufs qui cuisent dans la grande cafétéria de la Traction. Ça vous fera du bien. Et on y sert un vin de serre très fruité.

— Merci, dit Melkian en se levant non sans peine. J'ai très faim. La Compagnie est très généreuse...

— Nous sommes la plus riche, la plus libérale. Notre P.-D. G. est l'homme le plus célèbre dans le monde. Voulez-vous que je vous aide ?

— Je suis ankylosé par ce long voyage. Nous avons emprunté des réseaux secondaires et avons fait mille détours... Mais je vais y arriver sans aide, merci, merci infiniment.

La gare-frontière était déjà surprenante avec son unique coupole en demi-sphère. En fait il s'agissait d'une sphère complète dont les deux tiers étaient cachés dans la banquise. L'ensemble était parfaitement étanche, et très isolant. En cas de mouvement sismique la sécurité des habitants était assurée. L'Organisation des Accords de New York Station sur la Société ferroviaire avait émis des réserves dont le P.-D. G. de la Compagnie de la Banquise n'avait pas tenu compte.

Melkian se dirigea vers la grande cafétéria et s'immobilisa à l'entrée, devant la folle exubérance qui régnait dans cet immense wagon en silicium vert.

Les gens mangeaient goulûment, buvaient, avaient les mains chargées de nourriture. Il vit un enfant qui mordait dans un énorme morceau de viande, une cuisse de volaille monstrueuse. On lui avait dit que les Banquisiens ne manquaient de rien, faisaient des recherches très poussées sur la biologie animale,

9

élevaient des poulets de trente kilos et des oies de quatre-vingts.

Il réussit à se faire servir un morceau de viande énorme, de la purée de légumes verts et une hôtesse hilare lui tendit une coupe d'un liquide mordoré qui pétillait. Il remerciait avec effusion, cherchait un coin tranquille pour dévorer. Il se heurtait à des groupes, des gens ivres, braillards. Vers la fin du voyage une torpeur maussade clouait les gens sur leur banquette et d'un seul coup ils se déchaînaient. On disait dans le monde que personne n'était aussi heureux qu'un Banquisien et d'un seul coup ces voyageurs en avaient la preuve. Certains venaient dans la concession pour travailler et possédaient un contrat de deux ans, renouvelable. C'était le seul endroit où l'on trouvait un emploi très rémunérateur. Sinon il y avait la Panaméricaine et le travail dans le Tube sous la glace. Bien payé mais dangereux et précédé d'une réputation inquiétante. Le bruit courait que les émigrés y étaient traités comme des esclaves et obligés de renouveler leur contrat par la force.

Il trouva une longue table vissée au plancher du wagon ainsi qu'un siège également fixe. Il commença d'avaler de gros morceaux de viande, s'étouffa, but un peu de vin de serre pétillant, le trouva trop sucré mais frais. On lui tapa dans le dos. C'était une voyageuse comme lui, une certaine Lovera qui n'avait cessé de lui parler dans le compartiment. De n'importe quoi. Elle venait dans cette Compagnie pour s'occuper d'élevage de poissons. Elle se disait spécialisée dans l'extraction de la laitance mâle.

« —Pas compliqué, disait-elle, mais faut le tour de main. Comme pour un homme, quoi. »

Ça faisait rire le compartiment quand elle joignait le geste à la parole, et Melkian se sentait outragé par le voisinage d'une telle personne. Pendant des années il avait vécu dans l'austérité la plus stricte, avant de comprendre que la vie déjà difficile sur la terre prisonnière des glaces ne pouvait s'épanouir dans la contrainte d'une philosophie coercitive. Mais de là à supporter l'obscénité d'êtres comme cette Lovera !

— Alors, pépère on s'étrangle, on avait faim, hein ?

Elle lui gâchait le plaisir de manger. Il ne lui accorda pas un regard. Seulement elle s'installait à côté de lui, le frôlait de sa grosse cuisse. Elle avait quitté sa combinaison pour une robe légère, soyeuse, qui la ridiculisait. Mais en même temps les regards convergeaient vers sa chair drue, grasse.

— Faut pas s'en faire, mon vieux. C'est le paradis ici. Les fêtes de la nouvelle année vont durer encore des jours paraît-il. Vous vous rendez compte ? Pour une fois qu'on sait où l'on en est. Moi je suis contente, ça me rajeunit de deux ans. Chez moi, en Transeuropéenne, les gens se croyaient en 2362. Et d'un seul coup tout le monde à deux ans de moins. Ça va compliquer des tas de choses, les lois... La majorité légale par exemple. Coucher avec une fille née en 2348 va devenir un délit alors qu'elle aurait l'âge légal. Vous avez combien, vous ? Plus que vous paraissez, hein ?

Melkian mastiquait sa viande, la trouvait délicieuse sans pouvoir en authentifier l'origine. Peut-être du poulet. Les Banquisiens modifiaient habilement les gènes sans affadir le goût grâce à leurs manipulations subtiles. Ils exportaient dans le monde entier. La calorie atteignait des taux records et, à une certaine époque, il n'en fallait que cent pour un dollar. Mais depuis c'était un peu différent. Presque deux cents.

— A votre santé, mon ami.

Il leva sa coupe et la vida. Elle se leva et il crut en être débarrassé, mais elle revint avec un gros flacon carré à moitié rempli de vin de serre. Au moins deux litres.

— Je n'aurais jamais cru ça. Je sais qu'il y a des réjouissances sur la terre entière pour fêter le nouveau calendrier, mais comme ici certainement pas. Allez, buvons.

Au bout de deux coupes il trouva Lovera moins vulgaire. Dans un dialogue restreint elle finissait par se montrer moins exubérante, presque tendre. Elle se racontait. Ne supportant plus la vie étriquée de la Transeuropéenne, elle s'était mariée à un Africanien qui l'avait ramenée dans sa Compagnie. Ils avaient créé un élevage de poissons. C'est ainsi qu'elle avait appris à traire les mâles pour leur prélever leur laitance.

Cette fois elle en parlait avec justesse, sans allusion déplacée.

— Puis mon mari est mort et la maladie s'est mise dans les viviers. On avait trop d'individus. A partir d'une certaine quantité c'est toujours un risque. J'ai dû aller travailler chez d'autres éleveurs mais depuis quinze ans j'ai envie de venir dans cette Compagnie. Depuis que le Kid...

Elle regarda autour d'elle avec confusion :

— C'est vrai qu'on ne dit plus le Kid... C'est même un délit, paraît-il. Il faut l'appeler Président. Pour moi c'est toujours le Kid et ça n'enlève rien à son génie. Oui je voulais venir ici mais il fallait de l'argent et un contrat. Par hasard j'ai su qu'ils cherchaient des trayeuses de poissons. Une chance vraiment. Un mois plus tard j'avais mon contrat, mon billet et dix mille calories d'avance. Vous savez, c'est vraiment un art délicat. Les poissons reproducteurs d'élevage sont la plupart du temps incapables de pulser cette laitance hors de leur corps et je suis là pour les aider.

Il avait beaucoup trop bu, trop mangé, et elle l'aida

12

à rejoindre le train qui devait partir dans moins d'une heure. Ils furent les premiers à s'installer dans le compartiment et elle lui montra le gros flacon de vin.

— On va tenir le coup avec ça. Quel dommage que vous descendiez à Kaménépolis. Moi je vais jusqu'à Titan où on me donnera mes instructions. Il paraît que c'est un élevage de thons. Des bêtes énormes de plusieurs centaines de kilos dont je vais devoir masser le ventre. Vous savez que les hommes n'y parviennent pas aussi bien? Ces gros poissons ont besoin de la main d'une femme.

Il s'endormit et fit des rêves érotiques pour la première fois depuis au moins trente ans. La voyageuse le secoua un peu avant son terminus.

— Il ne faut pas manquer le spectacle. En pleine nuit il paraît que Kaménépolis flamboie de couleurs variées à cause de ses coupoles en ogives. De toutes les couleurs, avec des projecteurs intérieurs.

Ce fut d'abord une lointaine étoile avec des branches allongées. Puis d'un seul coup une pierre précieuse qui ne cessait de devenir énorme. Il y avait toutes les couleurs connues qui fusionnaient pour en créer de nouvelles. Dans un monde voué au blanc et à son antinomie, le noir, Melkian n'avait jamais rien vu de tel.

— C'est une femme qui a créé ça, dit Lovera avec respect. Une certaine Yeuse. Elle dirige l'Académie des Arts et des Lettres, d'ailleurs. Vous savez qu'elle a épousé l'écrivain R? Vous n'avez jamais vu sa pièce de théâtre? Bien sûr elle est interdite dans bien des endroits mais j'ai eu la chance...

Leur misérable convoi se dirigeait vers cette splendeur et il en éprouva une honte surprenante. Là-bas le sas, également multicolore, les attendait, eux, misérables migrants crasseux.

— C'est impressionnant.

Il se souvenait que douze ans auparavant cette

station avait été ruinée, saccagée par une guerre atroce entre la Banquise et la Panaméricaine, que le Kid, pardon le Président, avait gardé longtemps contre cette station un préjugé défavorable, accusant ses habitants de trahison et que cette femme, Yeuse, ancienne artiste de variétés, certains disaient même prostituée, avait consacré son énergie à la restaurer, faisant d'elle une métropole de la vie culturelle sous toutes ses formes, même les plus décriées comme le music-hall ou la télévision de masse.

— Vous allez rester longtemps ici ?

— Je ne sais pas encore.

— Si un jour vous venez dans l'est... Je vais vous laisser le moyen de me joindre. Pas mon adresse exacte, mais si vous vous adressez au Bureau des Industries alimentaires, section pêche, je pense qu'on vous renseignera.

— Merci, merci beaucoup.

Il regardait ses mains longues et fermes, imaginait le corps luisant d'un poisson qu'elles massaient avec patience, rougit. Il prépara ses bagages sous le regard étonné des autres occupants du compartiment. Tous allaient au-delà de cette ville dans les colonies de l'est, les Stations Suspendues comme on les appelait, les nouvelles agglomérations construites sur le fameux Viaduc interbanquisien.

— Je vais vous aider. Il y a une halte assez longue je crois.

Dans le sas multicolore où chatoyaient des vitraux artistiques dix trains pouvaient manœuvrer en même temps. Il y régnait déjà une douce chaleur et l'on pouvait ouvrir les hublots.

Le convoi fut dirigé vers une lointaine voie de garage, dans une zone un peu délaissée, aussi triste que toutes celles des autres stations de la Terre. Un train aussi minable aurait fait injure aux installations luxueuses des principaux quais d'honneur. Ceux-là même où débarquaient journellement des délégations culturelles du monde entier, les troupes de théâtre les plus réputées, les corps de ballet célèbres, les artistes infatués du renouveau un peu frivole de toutes les formes d'art.

Il se laissa embrasser sans réagir, un peu hébété par la boisson.

— Bonne année, lui cria Lovera, bonne année !

Melkian se retrouva sur le quai en mosaïques blanches et rouges, se dirigea vers les bâtiments modestes de ce quartier. Il voulait changer une pièce d'or, demander un hôtel modeste. Il était quatre heures du matin et il n'apercevait personne. Tout était fermé. Les gens festoyaient dans le centre ville et seuls quelques Aiguilleurs veillaient dans la tour de contrôle, à plusieurs étages au-dessus des voies.

Traînant son sac il suivit les quais et finit par atteindre un quartier moins triste mais tout aussi désert. Des maisons mobiles très luxueuses l'étonnèrent. Elles ressemblaient à d'anciens chalets de montagne et sur certaines de la fausse neige ornait les toits d'ardoises. Mais les faux troncs d'arbres mal équarris, les petites fenêtres à carreaux, les grosses cheminées extérieures en pierre paraissaient fidèlement imités. Il quitta ce quartier résidentiel et commença d'apercevoir des boutiques, des restaurants où l'on festoyait. Soudain des gens sortirent en hurlant et en se tenant par la main, pour entreprendre une sorte de ronde autour de ce quai en forme de place ancienne où il venait d'échouer sur un banc.

Il marcha encore, vit un hôtel de huit étages, qui le laissa stupéfait. Comment était-ce possible ? Comment la commission d'application des Accords de NY Station avait-elle pu laisser construire un tel ensemble de wagons qui, très certainement, n'auraient jamais pu rouler sur des kilomètres comme l'exigeait la loi.

Il s'en approcha, vit qu'à son niveau on fêtait également le nouveau calendrier. Il y avait des lumières, des guirlandes, des éléments de plastique représentant des feuillages. Derrière le comptoir de la réception un homme en curieux habit rouge se versait une coupe de vin, la leva dans sa direction quand il entra très furtivement.

— A votre santé, voyageur !

— Merci, dit Melkian... Puis-je avoir un compartiment ?

L'autre le regarda avec indulgence.

— Nous ne sommes pas un endroit qui propose des compartiments mais des chambres à la rigueur, des suites le plus souvent. Mais comprenant votre manque de connaissance je tiens à vous préciser que notre premier prix est de dix mille calories la nuit, mais que nous n'avons plus rien pour le moment sauf des suites à vingt-cinq mille calories.

— Excusez-moi, dit Melkian.

— Buvez quand même cette coupe et je vous donnerai une bonne adresse, où, pour deux mille calories, vous aurez un double compartiment avec sanitaires.

— Un seul suffirait, dit Melkian inquiet.

Il but la coupe et le concierge de cet établissement fastueux daigna sortir sur le quai pour lui donner la direction à suivre.

CHAPITRE II

La femme de chambre ouvrit les baies de la grande maison mobile vers huit heures et aperçut le vieillard assis en face, auprès du bassin où nageaient des poissons rouges. Elle se mordit les lèvres et referma les vitres. Ce mobile-home d'un étage comportait huit pièces. On ne disait plus compartiments depuis plusieurs années, mais la jeune femme de chambre qui avait vécu les vingt premières années de sa vie dans un de ces compartiments infects, avec tout le reste de la famille, six personnes, ne pouvait s'habituer à tant de place. Chaque matin, même après quatre mois de service, elle éprouvait un sentiment inquiet de grandeur.

Elle monta à l'étage réveiller sa maîtresse, la Présidente Yeuse, mais la trouva en train de prendre son bain dans la grande baignoire ancienne, en cuivre rouge.

— Ouvrez les baies.

— Voyageuse... Il y a cet homme... Le vieux.

— Encore ?

— Oui. Il ne doit guère dormir. Hier au soir quand j'ai fermé il était là.

— Pas cette nuit, quand je suis rentrée à deux heures du matin. N'en faites pas un phénomène tout de même. Il a essayé de me rencontrer mais comme il refuse de m'en donner la raison je suis forcée de refuser.

— Il n'a pas l'air méchant.

— C'est certainement un vieux comédien qui cherche un engagement. Il croit qu'en faisant du mystère il se fabrique une auréole de talent.

Pourtant, lorsqu'elle sortit de son bain et qu'elle eut enfilé un peignoir, elle s'approcha de l'une des deux baies. Le vieillard regardait les poissons rouges avec ravissement. Il n'avait certainement vu rien de tel dans les autres stations. Kaménépolis atteignait le raffinement des anciennes cités européennes de jadis, italiennes par exemple. Cette place résidentielle n'était bordée que de mobile-homes à la façade Renaissance imitant le marbre et la pierre. La fontaine possédait des statues au centre et un jet d'eau perpétuel. Elle rêvait de pigeons en liberté, mais désormais ces volatiles atteignaient des tailles triples de celles d'autrefois, et on lui avait affirmé que leurs fientes occasionneraient des dégâts considérables. On lui avait également laissé entendre que les gens pauvres des faubourgs auraient pu éventuellement venir chasser ces pigeons dans la nuit. Déjà il avait fallu répandre le bruit que les poissons rouges étaient incomestibles, leurs corps sécrétant une toxine.

Elle savait qui était cet homme. Sans l'avoir cherché. Mais la police était bien faite désormais. Vigilante, mais discrète. Ce Melkian ne perturbait pas l'ordre public. Il se contentait d'attendre en différents endroits qu'elle daigne le recevoir. Elle savait qu'il était arrivé le premier janvier du nouveau calendrier, ce qui faisait sept jours. Puisqu'on était le 8. Mais c'était tout. Il avait l'air d'un émigré mais à son âge pouvait-on encore chercher du travail ? Dans trois semaines il devrait faire viser à nouveau son passeport ou quitter la concession.

— Votre petit déjeuner, madame. Les messages, le courrier, les enregistrements du télérépondeur.

Elle but son thé en lisant et en écoutant les messages, mais sans vraiment s'y intéresser. Puis son mari appela vers neuf heures. Il se trouvait à Titanopolis pour la sortie de son nouveau roman, le tome IV de sa grande série sur la Grande Panique.

— Je m'ennuie de toi, dit-il, ici c'est d'un triste. Malgré la beauté de la vie. Le cristal c'est quand même froid... On dit qu'il y a des problèmes sur le chantier est du Viaduc.

Yeuse hocha la tête. En dix ans le Kid... le Président, n'avait pas encore gagné son pari. Le Viaduc gigantesque n'atteignait pas l'inlandsis péruvien. Il s'en fallait de trois mille kilomètres au moins, peut-être plus, les chiffres étant gardés secrets. Le Viaduc n'était pas non plus une réussite pour l'implantation humaine. Les principaux carrefours étaient habités mais les branches latérales n'étaient qu'embryonnaires.

— Tu rentres quand ?

— Après-demain. C'est triste ici mais on y lit beaucoup et je n'arrête pas dans les librairies... Le Kid, je veux dire le Président, a beaucoup aimé... Il attend la suite avec impatience, veut savoir comment le rail a représenté l'unique planche de salut de notre pauvre humanité menacée de périr de froid. Il est vrai que c'est difficile à comprendre... Il faudra que je retourne un jour en Transeuropéenne pour fouiller dans les Gisements intellectuels de documentation, mais aussi dans les G.E.D.

Autrement dit les Gisements économiques diversifiés. Il s'agissait de fouilles dans la profondeur des glaces, jusqu'au sol d'origine, pour retrouver dans le premier cas des livres, des films, des brochures, magazines, cassettes etc., et, dans le second cas, des usines, des dépôts, des maisons d'habitation intactes malgré la pression effroyable des glaces.

— Et toi, que m'annonces-tu?

— Rien de particulier... Je vais assister au premier tour de manivelle du nouveau film de Jerx. Sur la dernière guerre... Mais vue à travers un petit chef de poste isolé... Je pense que ce sera superbe.

— Et ton amoureux transi?

— Ne ris pas. Il est en face, sur la margelle du bassin, à contempler les poissons rouges. Hier il était en face de l'Académie dans l'après-midi, et le soir dans le hall de l'opéra où l'on donnait un gala. Je ne sais que faire. Si je le reçois, des tas de quémandeurs voudront me voir et puis je ne sais pas... J'ai un pressentiment.

— Quel pressentiment?

Yeuse hésita.

— Tu as peur qu'il t'annonce une mauvaise nouvelle?

— Oui c'est ça.

— Sur Lien Rag par exemple?

Yeuse ne put répondre, la gorge trop contractée.

— Il y a dix ans, fit doucement R.

— Je sais, je sais. Dix ans mais je ne peux pas l'oublier. Il a fait si longtemps partie de ma vie, tu comprends? Ce n'est plus un sentiment amoureux, un désir, mais j'ai l'impression qu'on m'a opérée, prélevé une dose de mes souvenirs...

— Je ne suis pas jaloux, dit R. Je suis trop heureux que tu aies accepté d'être ma femme. Depuis dix ans je m'en félicite chaque jour. Mais tu devrais quand même avoir le courage de recevoir cet homme...

— J'essaye de me persuader que c'est un comédien au chômage, mais la police m'a dit qu'il venait de très loin... Avec un passeport fédéral de l'Australasienne... Il a pu habiter dans l'une de ces multiples Compagnies de la Fédération... Et nous savons que

Lien Rag, Leouan et le professeur Harl Mern, ont disparu par là-bas. Nos enquêtes toujours recommencées n'ont jamais rien donné. Ou alors on nous cache la vérité. Le... Président...

— Je t'en prie, calme-toi.

— Y a-t-il eu un raid dernièrement?

— Nous ne devrions pas parler de ces choses-là, dit-il avec prudence.

— Ils existent pourtant, ces dirigeables qui attaquent les stations isolées pour se procurer du matériel sophistiqué.

— Yeuse, parlons d'autre chose. Tu devrais recevoir cet homme. Il ne se découragera pas facilement. Et peut-être qu'il n'a rien à voir avec cette tragédie vieille de dix ans désormais.

— Tu as raison.

— Idrien, tu as des nouvelles?

— Pas depuis la dernière fois. J'ignore même s'il est au Dépotoir. On dit qu'il se déplace beaucoup pour rencontrer des tribus. Lui aussi recherche son père.

— Je rentrerai dès que possible mais au plus tôt après-demain. Je t'embrasse. Il faut que je m'habille pour assister à une conférence sur l'histoire de notre Compagnie. C'est un peu la barbe, mais le Président y sera.

Il cessa de parler et elle termina son petit déjeuner en réfléchissant.

Quand elle passa dans sa salle de bains, l'homme était toujours assis sur la margelle du bassin aux poissons rouges.

CHAPITRE III

Dans l'après-midi, Yeuse se fit conduire dans son loco-car de fonction jusqu'au Dépotoir. C'était un Aiguilleur qui pilotait mais trois autres lui servaient de gardes du corps. C'était ridicule, songeait-elle, mais désormais on pouvait s'attendre à n'importe quelle agression dans la concession. L'essor économique n'avait pas fait que des nantis et des heureux. Cette bourrasque de richesses accrues avait écarté bien des gens et, même dans la merveilleuse station de Kaménépolis, les faubourgs s'agitaient constamment pour réclamer du travail et de la nourriture.

Le Kid, pardon le Président, s'isolait de plus en plus dans une sorte de morgue déplaisante. La solitude du pouvoir le rendait inaccessible la plupart du temps et, sauf de rares incursions sur le Viaduc de l'est et le Réseau du 160° méridien au nord, il ne sortait que rarement de Titanpolis.

En dix ans le Dépotoir s'était multiplié par quatre ou cinq en surface et les squelettes de baleines s'enchevêtraient à l'infini, selon un ordre esthétique et religieux connu des seuls Hommes du Froid.

Désormais on ne les voyait que très rarement en dehors de ce dédale immense de vertèbres et de côtes, de têtes monstrueuses et de fanons. La Guilde des Harponneurs avait dû construire tout un réseau pour livrer les carcasses de cétacés sortant des chaudières de fonte. Un réseau compliqué qui dominait le cimetière de baleines depuis plusieurs viaducs qui s'enjambaient les uns les autres. De ces hauteurs on apercevait le Mausolée en glace transparente de la déesse Jdrou, mère de Jdrien l'enfant métis, le Messie des Roux.

A plusieurs reprises, le pilote crut trouver un passage qui conduisait vers l'intérieur du cimetière et chaque fois la voie s'arrêtait, bloquée par des ossements. Il devait repartir en marche arrière, retrouver le réseau principal.

— Arrêtez-vous, dit Yeuse, je vais aller à pied.

— Nous vous accompagnons, dit le maître Aiguilleur. C'est très dangereux.

— Aucun Roux ne m'attaquera.

— Pas eux, mais les voyous qui rôdent autour du Dépotoir pour voler de l'huile et de la viande.

— Il fait jour, je ne risque rien.

Dans sa combinaison spéciale chauffante elle se sentit néanmoins fragile une fois sous ces arcades osseuses. Le moindre accroc et l'air de pressurisation s'échapperait, remplacé par le froid mortel. Mais elle continua, tourna en rond. C'était vraiment un labyrinthe. Mais elle voulait rencontrer Jdrien, le fils de Lien Rag. Peut-être avait-il appris quelque chose sur son père, même après dix ans.

Jdrien avait accusé le Président d'avoir abandonné son père et, depuis dix ans, il vivait avec ses frères, sans avoir jamais accepté de revenir parmi les Hommes du Chaud. Yeuse ne l'avait rencontré que de rares fois. Désormais c'était un homme, jeune, mais un homme qui portait des fourrures et non une combinaison et qui se soumettait aux lois de son milieu. Bien qu'il fût considéré comme le Messie de ce peuple primitif.

Elle trouva enfin deux Roux qui reconstituaient un

squelette. Ils pétrissaient de la glace avec du sel pour s'en servir comme d'une glu et maintenaient les os en place de cette façon.

Jdrien n'était pas dans le Dépotoir depuis maintenant trois fois deux mains, soit trente jours, et ils ne savaient pas où il se trouvait. Ils parlaient quelques mots d'anglais et Yeuse connaissait quelques expressions de leur langue, quelques signes également.

Ils lui firent signe de les suivre et la conduisirent à la périphérie du cimetière, pas très loin de son lococar. Le maître Aiguilleur fut soulagé de la voir réapparaître car la nuit venait vite.

Dans son fauteuil elle ferma les yeux tandis qu'on la ramenait en ville. Jdrien partait pour de très lointaines expéditions avec une troupe de Roux, toujours pour la même raison, apprendre ce qu'était devenu son père dix années auparavant. Peut-être connaissait-il certains détails, avait-il retrouvé des témoins, des traces, mais nul n'en savait rien.

Ni elle ni le Kid non plus. Et le Kid paraissait désormais redouter le jeune Messie et ses hordes sauvages d'Hommes du Froid. Jdrien lui vouait une sourde hostilité et les Roux n'acceptaient plus de travailler pour les Banquisiens, que ce soit sur les vieilles verrières des stations pour y gratter la glace, ou pour le traitement des ordures et des déchets de toutes sortes, y compris les blocs d'eaux usées qui se solidifiaient à la sortie des égouts. Autrefois les Roux dégageaient ces matières congelées pour permettre aux collecteurs de fonctionner. Il avait fallu inventer des machines, embaucher des Hommes du Chaud.

Mais c'était là-bas, auprès du volcan Titan, que la décision de Jdrien avait été le plus durement ressentie. Les Roux, depuis quinze ans, allaient chercher dans l'eau les plaques de soufre et de silicium rejetés par la constante éruption du monstre. Là aussi il avait fallu inventer une technique et pendant des années la production de silice en avait été bouleversée.

— Conduisez-moi au Musée de Jadis, ordonnat-elle lorsque le loco-car pénétra dans le sas.

Il fallait qu'elle y rencontre le directeur. La presse accusait ce dernier d'en faire trop et de devenir plus ou moins ouvertement le complice des Rénovateurs du Soleil. C'était R, l'écrivain, qui avait souhaité la création d'une telle exposition permanente sur la vie d'autrefois, avant la Grande Panique et la formation rapide des glaces. On y voyait des scènes de la vie de tous les jours, et les créateurs évitaient de tomber dans un lyrisme sans nuances exaltant une vie disparue avec force, soleil, chaleur, herbe verte et petits oiseaux. Le directeur veillait à ce que les difficultés de cette époque soient également mises en relief. Tout n'était pas si rose avant les années 2050 et les gens y crevaient tout autant de faim et souvent de froid que maintenant.

Mais la première personne qu'elle aperçut dans le hall fut le vieillard étranger, Melkian. Il était assis parmi d'autres personnes et consultait des reproductions de vieux magazines. Il leva la tête et parut surpris de la voir. Peut-être n'était-ce qu'une coïncidence.

Le directeur Hevery ne fut pas surpris des attaques dont il était l'objet.

— Une partie de notre presse reçoit des publicités panaméricaines pour des produits divers. J'ai toujours pensé que Lady Diana, P.-D.G. de cette compagnie, était derrière cet argent. Vous connaissez sa paranoïa au sujet des Rénovateurs. Ce musée la rend folle.

— Pourtant le Tube qu'elle creuse entre les deux pôles sous la glace sera un musée à lui tout seul.

— Oui, mais elle s'arrangera pour ne montrer que les côtés négatifs ou ridicules de la vie d'autrefois, les maisons closes par exemple et les prisons. Il paraît qu'on a retrouvé une prison horrible quelque part dans le sud de la Panaméricaine, ainsi que des salles de tortures.

— Au vingtième siècle on pensait qu'au Moyen Age les bourreaux n'arrêtaient pas de travailler, et que Louis XI passait ses journées à asticoter les prisonniers dans leurs cages de fer. Il est facile de déformer l'Histoire.

Lorsqu'elle ressortit, Melkian était toujours assis. Il la regarda et attendit. Yeuse détourna la tête. Cet homme savait comment Lien Rag avait fini ses jours et elle ne voulait pas l'apprendre, pas maintenant. Elle avait réussi à oublier son visage, son corps. Il lui était impossible de renouer avec cette tragédie. Pendant des années elle avait tellement espéré le retour de Lien Rag qu'elle avait usé ses forces, son affectivité.

Elle se dirigea vers la sortie et puis soudain, malgré elle, fit demi-tour et revint vers Melkian toujours assis, le regard sur un magazine. Il l'entendit et la regarda.

— Venez, dit-elle.

Sans marquer de surprise ou de joie il se leva et la suivit. Le loco-car les déposa devant l'Académie des Arts et des Lettres, un immeuble mobile énorme qui occupait plusieurs voies ferrées, un palais ultra-moderne. Il n'avait jamais rien vu de tel, à l'intérieur. Dans l'ascenseur elle ne le regarda même pas et il la suivit dans le couloir jusqu'à son bureau.

— Asseyez-vous, je reviens.

Il aurait pu attendre des heures dans ce fauteuil à contempler une toile de jadis, qui représentait un fouillis dans des verts nuancés avec des jeunes femmes habillées bizarrement.

— C'est un sous-bois, dit Yeuse en rentrant, et

l'auteur s'appelait Corot. Ce n'est pas l'original mais une copie d'après une reproduction du XXe siècle.

— Un sous-bois, répéta-t-il. Je n'arrive pas à imaginer ce que ça peut être... Au musée on devrait en présenter un.

— C'est dans les projets.

Elle versa quelque chose dans des verres, lui en tendit un.

— C'est de la vodka avec un ersatz de jus d'orange mais ce n'est pas mauvais.

Il goûta et apprécia, but une autre gorgée.

— Vous avez finalement gagné, dit-elle.

— Je ne cherche pas à gagner, mais vous êtes la seule personne à laquelle je doive confier ce que je sais et ce que je possède.

— Ce que vous possédez?

Il hocha la tête et tâta sa vieille combinaison aux pièces rapportées, ressoudées.

— Exactement.

— C'est au sujet de Lien Rag?

— Comment avez-vous deviné?

Elle aurait voulu lui crier qu'il ressemblait à un vilain oiseau de malheur. A ces corbeaux que l'on pouvait trouver en Transeuropéenne et qui avaient survécu au froid. Mais elle se contenta d'attendre qu'il parle.

— Oui, c'est au sujet de Lien Rag.

CHAPITRE IV

L'écrivain venait de téléphoner pour retenir sa place dans la Flèche Rouge, le train ultra-rapide, le T.U.R. qui reliait Titanpolis à Hot Station en quelques heures. De cette dernière station il fallait ensuite prendre un express pour Kaménépolis. Le Président n'avait jamais pardonné à la cité de l'avoir trahi, douze ans auparavant, et la punissait de mille et une manières souvent mesquines. En la privant de T.U.R. par exemple alors que la ligne directe existait et finirait par tomber en désuétude.

Il passait dans la salle de bains de ce merveilleux hôtel lorsqu'il entendit les signaux de détresse. D'après les consignes il devait quitter son étage et descendre dans le bas de l'établissement. Machinalement il regarda par la baie vitrée et les vit, juste au-dessus de la grande coupole cristalline qui dominait les vingt-quatre autres.

— Je dois rêver, murmura-t-il.

Il y avait trois dirigeables énormes. Il ne pouvait donner un chiffre faute de repère, mais l'un d'eux, le plus proche, devait mesurer dans les cent, peut-être deux cents mètres de long.

Il restait muet de crainte et d'admiration devant ce spectacle. Les aéronefs manœuvraient gracieusement malgré leur masse. L'un d'eux commençait de descendre vers la coupole centrale, celle qui abritait désormais l'imposant siège de la Compagnie, c'est-à-dire le palais du gouvernement en fait. R, grâce à sa connaissance de l'Histoire, pouvait se référer à des notions anciennes.

— Mais c'est de la folie.

De la nacelle imposante, aussi grande que deux wagons à la suite, venait de jaillir une longue tige qui pointait vers le sommet de la coupole, là où flottait le drapeau de la concession qui représentait le volcan Titan et une baleine. L'espèce de dard s'enroula autour de la hampe et le dirigeable s'immobilisa.

R songeait aux précautions prises par le Président pour empêcher ces appareils d'approcher de sa ville. Il avait fait construire un réseau circulaire où des trains blindés allaient et venaient nuit et jour, équipés de canons spéciaux qui pouvaient viser un objectif aérien. Jusqu'à ces dernières années les objectifs étaient toujours à ras du sol, et sur la banquise ne dépassaient jamais quelques mètres de haut, sauf les unités de la flotte de guerre.

Il sursauta car une voix sortait d'un haut-parleur à côté du poste de télévision :

— Les voyageurs sont priés d'évacuer leur chambre sans tarder. Tout retard excessif sera sanctionné.

C'était intolérable. Il n'avait jamais entendu rien de tel. Comment pouvait-on le menacer de sanction ?...

Furieux il sortit de sa chambre et appela l'ascenseur, réalisant qu'il restait le seul client à cet étage. Dociles les autres avaient rejoint le rez-de-chaussée immédiatement. Le concierge de l'hôtel lui fit grise mine.

— Tout le monde est parti à l'abri dans des wagons blindés. Je ne puis quitter mon poste. Vous n'avez pas entendu l'alarme ?

— Je dormais.

Il sortit sur le quai et leva la tête. Le dirigeable qui s'était attaché au sommet de la coupole du siège était toujours là et il aperçut, minuscules, des hommes qui installaient une passerelle légère. Ils étaient quatre, non cinq, qui couraient ensuite vers la coupole.

— Hé ! vous là, que faites-vous ? Vous n'avez pas le droit d'être sur les quais !

Il se retourna et vit la draisine blindée qui venait de s'arrêter à côté de lui. Quatre policiers ferroviaires en surgirent, arme au poing :

— Vous allez comparaître pour flagrant délit. Il est interdit de rester sur les quais en cas d'alerte.

— Mais je dormais... Vous savez ce que c'est ? Là-haut ces trois ballons ?

Mais il se rendit compte que les policiers ne levaient pas la tête. Ils l'entouraient, le poussaient vers la draisine électrique.

— Je suis R, l'écrivain. Le Président est mon ami.

— Ne regardez pas en l'air, c'est de la véritable provocation.

— Je connais cette tête, dit un des policiers. Je l'ai vu à la télé.

On le fouillait et on lui arrachait son porte-cartes.

— Vous vous appelez R vraiment ? Une seule consonne ?

— Oui. C'est mon nom de plume.

— Mais c'est l'écrivain voyons, dit le policier.

Ils le regardaient, très ennuyés. Le pilote venait de démarrer assez sèchement et ralentissait à l'ombre d'un pâté d'immeubles mobiles derrière lesquels on ne pouvait apercevoir les ballons.

— Je suis désolé, dit le chef de patrouille, mais nous avons des ordres. Je dois vous conduire à la prévôté.

— Bon, d'accord, mais je ne savais pas que c'était interdit de rester sur place et de regarder en l'air.

Sans régularité apparente, sans prévenir, le Kid,

c'est-à-dire le Président, donnait de temps en temps un léger tour d'écrou à la législation en vigueur. Petit à petit la vie quotidienne s'encombrait d'une foule d'interdictions inattendues mais efficaces pour maintenir les gens en condition d'obéissance. Ainsi cette appellation de « voyageur » depuis trois ou quatre ans, et maintenant cette façon d'empêcher les gens de lever la tête pour nier la présence des dirigeables dans le ciel.

— Je vais d'abord appeler la Présidence.

La Présidence ! On ne disait plus le siège de la Compagnie mais la Présidence. Le nouveau langage tissait le filet de l'autoritarisme et peut-être pire.

On finit par emmener R dans un wagon blindé proche de son hôtel où il reconnut d'autres clients. Ils y restèrent plusieurs heures à boire du thé et à discuter. Très peu semblaient avoir vu les dirigeables. De toute façon personne n'en parlait et l'écrivain ne jugea pas convenable de compromettre des gens qui ne bénéficiaient pas des mêmes appuis que lui.

Lorsqu'il sortit il faisait nuit et il alla préparer ses bagages dans sa chambre, fit appeler une draisine-taxi pour le conduire à la station centrale. Il lui semblait que dans la nuit quelque chose clignotait tout en haut de la grande coupole. Il ne savait pas ce que c'était. Mais quand il descendit pour embarquer dans sa draisine-taxi il découvrit que c'était du feu. Les inconnus du dirigeable avait certainement étalé un produit qui pouvait brûler sur le verre de silicium et les équipes de nettoyage n'en venaient pas à bout.

Les premiers dirigeables étaient apparus une dizaine d'années auparavant. Du moins on en avait signalé un à plusieurs endroits, sans expliquer si c'était le même chaque fois. Mais à cette époque ils se contentaient de jeter des tracts lestés et de lancer des messages radio pour expliquer la position des

Rénovateurs du Soleil, et surtout prouver qu'il n'y avait pas qu'un seul mode de communication envisageable. Le rail faisait le pouvoir et la richesse des grandes Compagnies, maintenait l'homme en servitude. Il fallait s'affranchir du rail pour oser ensuite affronter le problème du froid et essayer de ressusciter le soleil avec précaution au fil des générations.

Pendant deux ou trois ans plus de dirigeables et très peu de manifestations des Rénovateurs dits scientifiques. Les autres, qu'on appelait les Sorciers, faisaient toujours parler d'eux avec leurs cérémonies scabreuses, leurs petits complots et leur naïveté également.

Puis l'époque des grands dirigeables était venue et ces appareils avaient montré, du moins leur équipage qui parfois se composait de dizaines d'hommes, une agressivité de plus en plus inquiétante. Ils attaquaient les stations isolées pour se ravitailler en carburant, nourriture, mais volaient aussi du matériel sophistiqué, électronique surtout, des lasers, des armes.

Dernièrement ils venaient narguer le Président dans sa belle ville cristalline et l'ancien Kid ne pouvait l'admettre de gaieté de cœur.

Gare centrale, R se rendit immédiatement à son compartiment. Une délégation d'intellectuels l'attendait pour lui souhaiter un beau voyage.

— Nous viendrons à Kaménépolis, promirent-ils.

Mais il en doutait. C'était de faux artistes, faux peintres, faux romanciers, faux musiciens. Le talent se trouvait dans Kaménépolis, pas dans la capitale où ces gens se donnaient l'illusion de diriger la vie culturelle de la Compagnie, et d'ailleurs, ils avaient l'oreille du Président et lui faisaient prendre des dispositions plus ou moins heureuses. Mais ils ne créaient pas beaucoup.

Au wagon-restaurant, R se trouva avec un haut technicien qui se rendait à Hot Station.

— Vous avez vu ces misérables avec leurs appareils volants ?

R hocha la tête avec prudence.

— On ne pouvait pas les abattre sur la station. Et ils ont surpris le train D.C.A.

— D.C.A. ?

— Défense contre les aéronefs... Je suis dans la nouvelle armée ferroviaire, spécialiste des lance-missiles.

— Je vois.

— Il faudra installer un barrage beaucoup plus éloigné et ne pas hésiter. Ils sont faciles à abattre. L'effet de surprise passé on doit les liquider assez rapidement.

— Mais d'où viennent-ils ?

— Du nord.

Le haut technicien se pencha, l'air mystérieux :

— Ils auraient créé une Compagnie clandestine dans les zones mal connues, entre notre concession et celle de la Sibérienne. J'espère que cette dernière les trouvera. Le Président a reçu leur ambassadeur à plusieurs reprises dernièrement.

R mangeait tranquillement, comme peu intéressé mais en fait il appréciait ces confidences imprudentes.

— On dit qu'ils empêcheraient la fin des travaux sur le Viaduc et sur le 160e méridien.

CHAPITRE V

— Il est mort ?

— Il est mort avec les deux autres, ses compagnons. Une femme métissée de Roux.

— Leouan ?

— C'est ça.

— Un vieillard qui se disait professeur, Harl Mern ?

« Un ethnologue exactement », dit Yeuse surprise de n'éprouver qu'une émotion discrète.

Elle savait depuis tout ce temps que Lien Rag ne pouvait être emprisonné quelque part, il aurait réussi à les prévenir.

— Les Eboueurs de la Vie Eternelle se chargeaient alors du nettoyage des scories de la société. On nous avait confié cette mission.

— Vous êtes un Eboueur ?

— Je l'ai été pendant quarante ans. Et puis nous avons été attaqués par plus forts que nous et nous avons dû abandonner notre Compagnie, nous disperser. J'ai connu un autre mode de vie, et j'ai compris que j'étais dans l'erreur. La vie ce n'est pas de juger les autres et de les faire mourir, ce n'est pas de vivre dans le grand dénuement et les privations volontaires. Des décennies, j'ai lutté contre la faim et le froid pour endurcir ma volonté, et je n'étais pas plus heureux...

— Comment sont-ils morts ?

— Les Eboueurs congelaient les condamnés. Simplement. Il y avait ensuite plusieurs convois, des wagons de marchandises remplis par ces corps congelés.

Cette fois Yeuse crut qu'elle allait s'évanouir :
— Qu'en faisiez-vous ?

— Nous les conservions sur des voies de garage. Il y avait des centaines de wagons pleins. On nous confiait des criminels de tous côtés.

— La Panaméricaine, l'Africania achètent des cadavres pour les brûler dans des centrales thermiques.

— Je sais mais nous ne les vendions pas. Nous vivions avec peu de moyens. On nous redoutait. Jusqu'au jour ou des bandes venues de je ne sais où nous ont attaqués.

— Pourquoi, puisque vous étiez pauvres ?

— Pour dépouiller les cadavres congelés. Il est vrai que certain mouraient avec leur argent, leur or, leurs bijoux... Nous ne voulions pas de ces richesses. Les bandits sont venus et n'ont pas tenu compte de notre réputation. Ils nous ont surpris et battus, bien battus. Ensuite ils ont jeté les cadavres congelés dans de grandes cuves d'eau bouillante pour les dépouiller. J'ai vu cela.

— Vous n'aviez pas fui ?

— Plus tard. J'étais prisonnier et je devais aider à cette opération qui consistait a jeter les morts dans des cuves d'eau très chaude. Plus tard j'ai pu m'enfuir jusqu'en Africania. J'y suis resté deux ans. Et puis je suis venu ici, car je n'avais pas oublié ces deux hommes, cette femme.

— Le remords ?

Melkian réfléchit :

— Pas exactement. Je suis Eboueur depuis ma tendre enfance et mes parents l'étaient avant moi. Nous avons nettoyé sans faiblir tout ce qu'on nous donnait à faire.

Elle remplit à nouveau les verres et il prit le sien avec un sourire :

— Je n'avais jamais bu d'alcool avant, ni mangé de viande.

— Qui vous avez payé pour liquider Lien Rag et ses deux compagnons ?

Melkian reposa son verre vide :

— Je ne sais pas. J'étais de rang modeste et seuls les juges savaient qui payait.

— Vous n'en avez jamais rien su ?

— Ça ne m'intéressait pas alors. Je regrette.

Elle se leva et alla regarder par la baie. Il faisait peut-être nuit, mais l'éclairage de la ville était fantastique et donnait l'illusion du jour solaire. Les projecteurs qui illuminaient les coupoles gothiques en forme de vitraux venaient de s'allumer d'un coup.

— Vous n'êtes venu que pour m'annoncer cette mort. Comment connaissiez-vous mon nom ?

— Ils parlaient de vous, de cette ville, de ce fils Jdrien, et de bien d'autres choses. De choses qui m'ont paru éminemment importantes.

Yeuse revint s'asseoir et s'excusa. Elle devait téléphoner à plusieurs personnes. Ce soir-là elle avait une soirée à honorer et, en rentrant chez elle vers onze heures, elle devait discuter du projet d'école de dessin.

— Quelles choses ?

— Malgré l'approche de la mort ils continuaient de discuter avec passion sur des sujets très graves. Par exemple l'origine de ces Roux... Et aussi sur des gens venus d'ailleurs pour nous sauver... Mais je ne me souviens pas de tout.

Yeuse évita de le regarder. Elle sentait monter en elle une colère meurtrière.

CHAPITRE VI

Le gros Roux au visage un peu aplati avait des pensées goguenardes et Jdrien l'interpella :

— Tu te moques de moi, tu penses que je ne suis pas un véritable Homme du Froid parce que j'ai besoin de ces fourrures, d'un abri pour me protéger du froid la nuit.

L'autre laissa tomber sa mâchoire proéminente de stupéfaction. Jdrien ouvrit ses fourrures et montra le pelage de son ventre et de ses cuisses :

— Ça te suffit ?

Le reste de la tribu regardait le prognathe avec réprobation. Il s'inclina pour demander son pardon et Jdrien ne rencontra que de la confusion dans son esprit.

— C'est bon, je reste quand même ton ami. Tu n'as pas besoin de t'affliger.

Il pénétra dans son igloo, se coupant du reste de la tribu. Parfois cet isolement devenait si insupportable qu'il songeait à tout abandonner, à retourner vers les Hommes du Chaud, vers Yeuse qui s'était occupée de lui durant des années.

Depuis des semaines il visitait les tribus de l'ouest australasien, les exhortait à ne plus travailler pour les Hommes du Chaud, à reprendre leurs vieilles coutumes de chasse et de pêche.

— Vous vous laissez voler les trous de phoques et les rookeries par les chasseurs du Chaud. Il y a de quoi manger sans aller mendier dans les stations, sans trier les ordures et gratter la glace sur le toit des villes.

Beaucoup l'écoutaient, mais pas tous. Certaines tribus avaient oublié depuis si longtemps comment on pêchait et on chassait, et c'était si facile de séjourner à côté d'une station où l'on était certain de ne pas mourir de faim, même sans gratter la glace sur les dômes. Ces gens bizarres qui vivaient dans le Chaud ne savaient que faire de leurs déchets, et n'étaient que trop heureux que les Roux les en débarrassent.

Jdrien s'allongea dans ses fourrures. Il avait très froid. L'igloo ne le protégeait pas tellement, empêchait la température de tomber en dessous de moins deux, moins trois, mais lui avait besoin au moins de dix à quinze degrés pour se sentir vraiment à l'aise. Il aurait survécu jusqu'à moins dix, mais en dix ans son corps, et surtout son esprit, n'avaient pu effacer certains souvenirs de tiédeur et de confort.

Il ferma les yeux et sonda les cerveaux des Roux assis à l'extérieur. Ils étaient flattés de sa visite. Depuis si longtemps ils l'attendaient. Mais ils ne comprenaient pas toujours le sens de ses sermons. Ce retour aux habitudes ancestrales les embarrassait. Eux aussi étaient fascinés par le Monde du Chaud, même s'ils n'auraient pu y survivre plus d'une heure.

Dès qu'il arrivait dans une tribu, (parfois il ne s'agissait que de petits groupes, de bandes isolées), il expliquait toute son histoire. Parlait de sa mère Jdrou et surtout de son père, Lien Rag :

— Avez-vous entendu parler de mon père qui a disparu voici dix ans dans ces régions?

Quelque fois il obtenait quelques vagues réponses. Ce n'était jamais que des redites, des récits colportés d'une tribu à l'autre et probablement puisés à la source dans une conversation d'Hommes du Chaud. Jamais rien de bien précis.

Pendant plusieurs heures il resta allongé, songeant à ce qu'il dirait une fois la nuit tombée. Pour que sa visite impressionne les esprits il faisait allumer un grand feu de blocs d'huile gelée. Le groupe de vingt personnes, qui l'accompagnaient depuis le Dépotoir, transportait un important matériel sur des traîneaux en os de baleines et peaux de phoques. Il y avait surtout des blocs d'huile de baleine. Des fourrures également. Mais en général les tribus prévenues de son passage fabriquaient un igloo pour qu'il s'abrite. Quelques-unes en possédaient depuis toujours pour se protéger des vents furieux qui soufflaient dans cette zone. On approchait chaque jour de la fameuse Dépression indienne, où les vents pouvaient dépasser quatre cents kilomètres à l'heure.

La nuit venue, les flammes s'élevèrent très haut et la tribu se mit en cercle à distance respectueuse, fascinée par cette lumière vive. En général il parlait en tournant autour du feu. Il racontait l'histoire des Hommes du Froid, sa propre histoire pour commencer, et ses auditeurs étaient aux anges. Ils aimaient les légendes ressassées, enjolivées si le conteur montrait un grand talent de comédien. Jdrien s'entraînait depuis des années et son art atteignait la perfection.

Mais lorsqu'il entreprenait de parler de l'avenir, lorsqu'il les encourageait à reprendre une vie plus sauvage, moins dépendante des Hommes du Chaud, ses amis décrochaient un peu, n'avaient plus la même attention. Il s'arrêtait pour sonder les esprits, y découvrait l'ennui, le doute et même le refus irréductible.

Alors il s'immobilisait devant l'un de ceux qui

remettaient en doute ses paroles et pointait son doigt sur lui :

— Toi, oui toi qui ne veux pas me regarder. Tu penses que je raconte n'importe quoi. Tu te dis que c'est meilleur d'aller fouiller dans les ordures des Hommes du Chaud pour y trouver la nourriture. Tu te demandes comment on fait pour tuer un phoque, le dépouiller de sa peau, prélever sa graisse, sa chair. Et les œufs de manchots, comment les dénicher ? Ceux de goélands également. Mais nous pouvons vous apprendre les vieilles techniques, dès demain ceux qui m'accompagnent vous feront voir comment s'y prendre.

Son don de télépathie impressionnait ces êtres simples et Jdrien éprouvait toujours du remords à devoir l'utiliser. Il pouvait aussi paralyser, durant quelques secondes, la volonté d'un homme, le transformer en statue. C'était très impressionnant. Il lui arrivait de demander à un volontaire de se jeter sur lui, de l'agresser. Etant donné le caractère d'ordinaire paisible de ces nomades il avait du mal à obtenir que l'un d'eux se rue sur lui. Mais lorsqu'il le stoppait à distance, dans une position souvent grotesque, les autres éprouvaient un effroi respectueux. Et peu à peu, contre son propre désir, sa déité devenait irréfutable pour ses frères de race.

Ce soir-là il parla longtemps de ses parents, de sa mère Jdrou qui avait vécu dans le nord, sur le territoire d'une grande Compagnie, la Transeuropéenne.

Et entre deux phrases il pouvait entendre le bruit des convois sur le réseau pas très éloigné de cet endroit. Un énorme réseau qui reliait l'Africania à l'Australasienne. Il y avait aussi une station dont on pouvait apercevoir le rayonnement lointain. C'était là que ces Roux allaient gratter la glace et trier les ordures.

— Mon père s'appelait Lien Rag et avait de la sympathie pour votre peuple. Lorsqu'il a rencontré ma mère il n'a jamais pu l'oublier.

Il racontait et les trains sifflaient dans le lointain, le bruit des bogies arrivait, régulier, croissant et décroissant et il se revoyait enfant dans un compartiment douillet, en compagnie de Yeuse. Elle lui servait des boissons chaudes agréables, lui préparait des douceurs.

Alors il cessait de parler, regardait ses frères et avait envie de leur dire qu'il bluffait, que toutes ses paroles n'étaient qu'une supercherie, qu'il ne pourrait jamais être des leurs parce qu'il avait appris à apprécier des choses dont ils n'avaient pas idée. Il souffrait du froid continu, de la nourriture congelée qu'il devait mâcher longtemps pour pouvoir l'avaler, alors qu'eux n'avaient aucune difficulté à le faire. Il rêvait de s'étendre sur une couchette moelleuse avec, à ses côtés, une fille brûlante de désir pour lui. Alors qu'il devait se contenter d'étreintes furtives avec des femmes, certes gentilles, mais qui ne représentaient pas son idéal féminin.

Il était comme un imposteur prêchant sans conviction, alors qu'il comprenait parfaitement que ces gens-là préfèrent fouiller les ordures pour se nourrir qu'agresser un phoque, pour tenter de le tuer avec des poinçons en glace. Il fallait trouver une artère, la perforer sans manquer son coup, attendre que l'animal expire. Parfois l'énorme bête plongeait dans l'eau de son trou et ne reparaissait plus, préférant mourir sous la banquise.

Et les Roux ne le comprenaient pas non plus, même s'ils tentaient de lui obéir. On leur avait dit qu'un Messie né du Chaud et du Froid viendrait sur cette planète glacée pour réconcilier les deux principes, et les peuples qui en dépendaient. Et ce Messie, s'il était bienvenu, leur disait de s'éloigner du Chaud, de reprendre leur vie errante d'autrefois.

Jdrien tournait autour de feu qui commençait à baisser. Un de ses compagnons de route lui demanda par signes s'il devait ajouter un morceau d'huile congelée et il secoua la tête. Inutile de prolonger la séance, il se sentait fatigué.

Il termina rapidement son sermon et retourna dans son igloo, enregistrant mentalement la déception de ces gens-là. Il s'enfouit sous ses couvertures et essaya de s'endormir, mais dans le silence de la banquise le trafic sur le réseau finissait par devenir obsédant. Il n'y avait pas que les bruits. La glace répercutait les vibrations et il ne se sentait pas à l'aise. Cette tribu ne pouvait plus se passer de la société ferroviaire, en dépendait étroitement depuis bientôt trente ans. Ils ne s'éloignaient plus du réseau de la station sous cloche.

Et si la prophétie était fausse ? Si le rapprochement entre les deux peuples devait emprunter un cheminement lent, des rapports faits de domination et de contrainte ? Jusqu'au jour où les Roux s'adapteraient à une température moins basse et où les autres auraient l'audace de quitter leur superbe isolement ?

Dehors le feu s'éteignait et tout le monde s'endormait dans le froid qui devait frôler les moins cinquante. Une chance qu'il n'y ait pas de vent.

— Quand tu es parti, dit-il à son père, je n'avais pas huit ans, j'avais encore besoin de toi pour comprendre ce qui m'attendait et tu m'as abandonné. Je raconte des mensonges en fait car tu m'as abandonné très tôt. J'étais un trop lourd fardeau pour toi.

CHAPITRE VII

Le grand maître Lichten fut reçu dans le bureau du P.-D.G. de la Compagnie dans le palais de la Présidence. Au-dessus, la plus haute coupole de cristal était cernée d'échafaudages. On réparait les dégâts commis par les pirates en dirigeable quelques jours auparavant.

— J'ai les résultats de l'enquête, dit le grand maître Aiguilleur, une fois assis en face de celui qu'en lui-même il appelait toujours le Kid.

Le Kid avait grossi et son visage rond, bouffi, n'exprimait presque plus jamais la moindre émotion, comme si cet être disgracié mais puissant avait décidé d'engraisser pour se donner une sorte d'armure. On disait qu'il mangeait beaucoup et buvait aussi.

— Que s'est-il passé ?

— Une manœuvre de diversion, Président. Les trois dirigeables ont surgi de trois directions différentes. Nos batteries mobiles n'ont pu faire face et, en quelques secondes, les aérostats ont pu franchir le barrage. Une fois sur Titanpolis on ne pouvait les abattre sans provoquer une catastrophe.

— Mais les radars n'ont pas fonctionné ?

— Ces inconnus...

— Non. Ce sont les Rénovateurs. Je sais que

44

l'utilisation de ce terme est interdite mais entre nous utilisez-le.

— Bien. Les Rénovateurs ont fait d'énormes progrès dans le pilotage de ces monstrueux appareils. Ils peuvent voler très bas, maîtrisent très bien les remous, les ascendances. Les radars ont détecté une grosse malle mais ont pensé qu'il s'agissait d'une unité de combat avec ses superstructures. Il faudra désormais faire avaler à nos ordinateurs de radar les spectres cathodiques de toutes les unites importantes de notre flotte de combat.

— Bien, dit le Président. Vous avez donné des ordres ?

— Il faudra plusieurs semaines pour que tous les radars de surveillance soient équipés. Mais il faudrait surtout prévoir une grande ceinture de protection à cent kilomètres de la ville. Avec des trains blindés qui se succèdent dans les deux sens sans arrêt. Abattre un de ces dirigeables est un risque très grand. Ils mesurent jusqu'à deux cents mètres, sont lourdement équipés puisqu'ils peuvent emporter cent tonnes d'hommes et de matériel. Si l'un d'eux s'écrase soit sur un réseau, soit sur une station, c'est la catastrophe.

Le Président se déplaça sur son fauteuil électrique jusqu'à une grande carte qui représentait la capitale et son district. Le grand maître Lichten vint se placer à côté de lui. Le Président n'osait plus, comme avant, sauter de son fauteuil sur ses jambes courtaudes pour se déplacer dans son bureau. Il préférait utiliser ce fauteuil électrique. Depuis qu'il avait forci il devait marcher bizarrement, les pieds très écartés. Il était de plus en plus sensible à son apparence extérieure alors que sa renommée de patron d'une grande Compagnie ne cessait de grandir. On disait que bientôt il serait le deuxième grand chef ferroviaire de la planète, tout de suite après Lady Diana qui, malgré son âge, continuait de diriger la Panaméricaine d'une poigne de fer. De plus en plus souvent, les médias de l'extérieur parlaient de la Compagnie du Titan et même l'Empire du Titan. Le Président y voyait toujours une allusion déplacée à sa petite taille.

— Le coût de cette grande ceinture ?

— Cher, très cher. Cent milliards de calories.

— C'est très cher.

Le Président regarda la carte. On pouvait effectivement créer un système efficace, un barrage de D.C.A. sans précédent, mais les autres trouveraient le moyen de le contourner au bout d'un certain temps.

— Pourquoi, pourquoi nous, la Compagnie de la Banquise, la Compagnie la plus libérale, la plus démocratique ? Ces Rénovateurs nous ont choisis pour cible à la place de la Panaméricaine ou de la Sibérienne. Ils empêchent la poursuite des travaux vers l'est et vers le nord. Le Viaduc piétine. C'est à peine si on construit un kilomètre par semaine, alors que nous avions atteint dix kilomètres par jour ces derniers temps. Et le Réseau du 160e méridien vers le nord ? Lui aussi est pour ainsi dire stoppé.

Il retourna à son bureau et brandit un dossier :

— Ces incursions nous ruinent. J'ai là le détail des indemnités versées, des précautions prises pour lutter contre ces dirigeables. Avec l'argent dépensé nous aurions financé le Viaduc jusqu'à l'inlandsis panaméricain. C'est la cruelle vérité.

Le grand maître restait silencieux, presque hostile, comme si ces dépenses insensées allaient de soi. C'était d'abord un Aiguilleur qui ne transigeait jamais sur l'infaillibilité de la Société ferroviaire. Mais c'était également un policier devenu le chef des forces militaires de la Compagnie.

— J'ai commis une erreur, voici dix ans, lorsque

j'ai dédaigné ce premier dirigeable qui me narguait. J'ai refusé d'entrer en communication radio avec eux.

— Vous avez agi conformément à la loi.

— Oui, mais je les ai vexés et en politique c'est très maladroit de vexer quelqu'un.

— Vous ne pouviez pas négocier avec ces bandits. Ils veulent détruire notre monde, notre société et...

— Je sais, Lichten, je sais... Mais j'aurais pu dialoguer. J'aurais pu entretenir avec eux des relations épisodiques. Et peut-être empêcher ce qui arrive aujourd'hui. Croyez-moi, la diplomatie est toujours la meilleure façon de faire la guerre. Mais désormais je ne peux que parer les coups. Ils considéreraient toute invite de ma part comme une capitulation.

— Si on abat quelques-uns de leurs appareils ils n'insisteront plus.

— On dit qu'ils en possèdent vingt au moins.

— Nous n'en avons jamais vu plus de cinq ensemble.

— C'est pas si mal. Nous avons pour notre part une dizaine de croiseurs sur rails, et pourtant nos voisins de Compagnie pourraient également dire qu'ils n'en ont jamais vu plus de deux ou trois ensemble.

— Que décidez-vous pour le projet de grande ceinture ?

— Je vais réfléchir. Cent milliards de calories, cinq cents millions de dollars c'est hors de prix. Il faut essayer de trouver un projet moins ambitieux. Vous n'avez que très peu de renseignements sur cette « Compagnie des Dirigeables » ?

Le grand maître Aiguilleur tiqua. Appeler ainsi une bande de pirates qui utilisaient un moyen de transport prohibé lui paraissait une incongruité.

— Ils seraient dans un territoire mal défini, mal connu...

Il s'approcha d'une carte du monde dans le fond de la pièce :

— Ici, entre le 30e et le 40e parallèles et autour de la ligne de changement de date.

— C'est vague.

— De très vieilles Instructions Ferroviaires remontant à 2190 affirment qu'il existe encore quelques lignes uniques ou doubles, mais sans plus. C'est vraiment une région inhabitée depuis longtemps.

— On parlait d'une monstrueuse amibe qui terrorisait le coin.

— Oui, fit dédaigneusement le grand maître... Peut-être une légende entretenue par ceux qui habitent le coin et veulent qu'on ne vienne pas déranger leurs trafics...

— Lien Rag a vu cette monstruosité et m'en a fait un récit extraordinaire.

— De toute façon plus personne n'y fait désormais allusion. Depuis bon nombre d'années. Vous avez l'intention d'envoyer une mission dans ce coin ?

— Je ne sais pas encore... Personne ne parle de ces dirigeables ailleurs, en Sibérienne ou en Panaméricaine. Nous pourrions nous concerter, entreprendre une action commune.

— Nos services secrets essayent de savoir dans les deux Compagnies, mais ce n'est pas facile.

Le Président ne manifesta aucun sentiment. Il savait à quoi s'en tenir sur le service secret des Aiguilleurs, cette caste internationale qui avait l'ambition cachée de diriger le monde et filtrait les nouvelles qui lui paraissaient dangereuses. Il lui faudrait créer un autre service, mais il ne voyait personne autour de lui capable de discrétion et d'efficacité.

— Quels sont vos ordres pour le prochain raid ?

— Les mêmes, tant que les spectres cathodiques ne sont pas en place.

— Et si nous leur tendions un piège, dans l'est par exemple ?

CHAPITRE VIII

Pendant deux jours Yeuse essaya de ne pas penser à Melkian. D'ailleurs le vieillard l'évitait et elle ne le rencontrait plus comme peu de temps auparavant. Il avait exigé que Jdrien vienne l'écouter.

— Ce que j'ai à dire concerne surtout le fils de Lien Rag.

— Il n'est plus auprès de moi et voyage loin de cette Compagnie. Il a choisi de rejoindre ses frères de race et prêche dans les tribus lointaines, les exhortant à retourner à une vie plus simple, plus sauvage.

Melkian n'avait pas voulu la croire. Il n'avait pas protesté mais avait clos leur entretien. En vain avait-elle essayé de le retenir. Mais elle aurait dû faire appel à la police ferroviaire et n'avait pu s'y résoudre.

R arriva enfin et lui raconta l'épisode des dirigeables, mais il comprit très vite qu'elle ne s'y intéressait pas. Elle lui parla de Melkian et de ses débuts de révélations.

— Lien est mort. Dans une minuscule Compagnie où vivait une secte de fanatiques, les Eboueurs de la Vie Eternelle. Je n'en avais jamais entendu parler.

— Moi si, dit R. Ils avaient même fait des disciples jadis en Panaméricaine.

— Ils les ont tués par congélation. Parce que

50

c'était leur rôle de nettoyer la planète de ceux qui gênaient.

R avait essayé de rencontrer Melkian, mais le bonhomme, façonné par des années d'austérité, n'était pas facile à convaincre ou à impressionner. Il errait dans la station, visitant les endroits les plus remarquables. Très souvent il pénétrait dans l'auditorium de musique pour assister à une répétition de l'orchestre de la Compagnie. Cet ensemble de plusieurs centaines d'exécutants et de choristes devenait célèbre au-delà de la concession, et on parlait d'une très longue tournée en train spécial dans les stations importantes de la planète. Yeuse étudiait les conditions de ce voyage qui durerait au moins trois ans.

Mais Melklan fréquentait aussi assidûment la Bibliothèque Universitaire de la station, et R finit par découvrir que le vieillard s'intéressait à l'histoire de l'Eglise catholique, du premier millénaire de l'ère chrétienne.

— Nous n'avons pas grand-chose, lui disait le directeur de cette bibliothèque. Il faut demander des dizaines de volumes pour obtenir une maigre récolte, mais ce vieillard est très obstiné et, le soir venu, les employés doivent lui rappeler que c'est l'heure de la fermeture.

— L'histoire de l'Eglise catholique du premier millénaire, dit Yeuse à qui il rapporta ces paroles, mais que cherche-t-il ? Sa secte n'avait rien de bien catholique ?

— Non, ils ne croyaient même pas en un dieu mais à un certain ordre moral, la propreté, la blancheur virginale de la glace souillée par les saletés humaines. A l'origine ils étaient spécialisés dans le nettoyage des wagons. On leur amenait des trains entiers qu'ils récuraient, frottaient, rendaient propres et brillants. Et peu à peu ils ont dévié vers un nettoyage plus général, plus abstrait en quelque sorte.

Yeuse finit par se rendre, un matin, à l'hôtel du vieillard qui déjeunait dans la petite salle à manger de l'établissement.

— Je n'ai jamais mangé rien d'aussi bon durant toute ma vie. Nous n'avions que des germes de blé, de soja et quelquefois du lait et de la poudre d'œufs, jamais de viande.

Il étalait de la confiture synthétique sur son pain beurré et elle lui expliqua comment les serres se multipliaient pour produire de plus en plus de variétés alimentaires.

— On crée des vergers, on plante même des vignes. Elles n'ont rien à voir avec celles de jadis bien sûr. Par chance on retrouve des clones minuscules dans les fouilles sous-glacières. A partir de ces débris les laboratoires reconstituent l'arbre ou le cep primitif. Il faut énormément d'énergie, mais grâce à l'huile de baleine et surtout à l'eau chaude du volcan Titan nous pouvons produire énormément de chaleur. Désormais nous nous suffisons amplement, et sur une quantité infinie de produits. Même la Panaméricaine ne connaît pas notre abondance car elle est aux mains d'actionnaires avides. La construction de l'énorme tunnel Nord-Sud engloutit également une grande partie du revenu annuel.

Melkian cessa de mastiquer :

— Ici aussi il y a des pauvres, dans la périphérie de cette belle station.

— Je sais. Des habitants d'avant la guerre, qui n'ont jamais voulu s'adapter à la nouvelle orientation sociale de la station. C'était une ville grouillante, commerçante, âpre au gain mais débauchée en même temps. Ceux-là sont les survivants maussades de ces temps-là. Il y a beaucoup d'anciens tenanciers, d'anciennes prostituées, de commerçants ruinés... Mais ils avaient tous collaboré avec les ennemis.

— Et vous les punissez ?

— Ils se punissent eux-mêmes.

Yeuse préférait changer de conversation, sachant que ce n'était pas l'exacte vérité. Il y avait des gens peu intéressants dans le lot de ces exclus de la nouvelle abondance, mais très peu. Le reste se composait de personnes qui ne trouvaient plus de travail nulle part. Elle avait parlé des serres énormes qui fournissaient non seulement la nourriture mais aussi les matières premières pour l'industrie, mais les gens qui travaillaient, vivaient dans ces serres à longueur de temps, souffraient de maladies professionnelles graves dues à l'humidité. Ce que le froid avait détruit, les serres le faisaient revivre, comme les bacilles de la tuberculose, et même de la peste en un certain endroit. De toute façon il n'y avait pas de travail pour tous ceux qui ne possédaient aucune spécialité et ceux-là, interdits de séjour à Titanpolis et à Hot Station, se réfugiaient à Kamenepolis. Ils y recevaient une allocation fixe de deux mille calories, que ce soit pour se chauffer ou pour se nourrir. Deux mille calories en bons et non en argent. Heureusement, la ville était assez bien tempérée et si, dans le centre, on avait jusqu'à quinze degrés en dehors des habitations mobiles, à la périphérie il y avait encore huit à dix degrés.

— Melkian, je veux savoir ce que Lien Rag et ses amis disaient dans leur cellule.

— Jdrien son fils est-il de retour ?

— Je ne pense pas. Il peut rester des mois sans revenir au Dépotoir.

— Alors j'attendrai.

— Vous n'avez pas confiance en moi ?

— Je ne veux plus commettre d'erreur alors que ma vie se termine. Je me suis égaré trop longtemps jusqu'ici.

CHAPITRE IX

Le Viaduc interbanquisien dépassait les cinq mille kilomètres en direction de l'est. On ignorait combien restait à construire pour atteindre l'inlandsis péruvien, certainement autant. Le Président estimait qu'on devait se trouver à hauteur de l'ancienne île de Pâques, mais beaucoup plus au nord.

C'était une région immense, étrange, terrifiante pour les équipes de travailleurs qui devaient se relayer sans arrêt. Pour une semaine passée au bout du monde on avait droit à trois de repos dans n'importe quelle station de l'arrière. On disait l'arrière comme s'il s'agissait d'un front offensif, mais c'était un peu ça. Les pertes en vies humaines étaient grandes : accidents, crises de folie, meurtres à la suite de bagarres. On avait interdit l'alcool et les prostituées, mais la tension était encore pire. Une légende courait dans l'entreprise : jamais on n'atteindrait l'inlandsis péruvien, pour la bonne raison que la Terre n'était plus ronde mais plate.

Le Président avait fait organiser une campagne d'information qui rappelait plusieurs points précis. Dans les années 2100, 2150, existait déjà un petit réseau qui reliait la Panaméricaine aux régions les plus à l'ouest, comme les petites Compagnies qui plus tard devaient former la Fédération Australasienne.

On retrouvait des traces de ce réseau, des rails, des aiguillages, des traverses. Parfois une station perdue.

Justement, c'étaient ces stations minuscules, oubliées depuis deux cents ans, qui impressionnaient le plus ces hommes rudes, têtes brûlées, aventuriers prêts à tout pour une solde de haut niveau.

On en avait retrouvé deux transformées en véritables blocs de glace. Toutes les deux sur des icebergs plates-formes flottant dans des bras de mer. Car dans ces régions la banquise devenait fragile, se morcelait en îles aussi grandes que l'ancienne Australie, mais l'océan reprenait souvent ses droits avec des mers intérieures, des lacs, des bras de mer. Un océan réchauffé par toute une chaîne de volcans sous-marins en pleine activité. On relevait des températures étonnantes en certains endroits, jusqu'à vingt-deux degrés. L'air ambiant devenait tiède et les équipes travaillaient sans combinaison.

Dans ces stations minuscules, oubliées, que l'on découpait au chalumeau, on faisait de macabres découvertes. Souvent des familles entières. L'une d'elles se composait de cinq personnes, les parents, deux enfants et une grand-mère. Tous décédés du scorbut et dans le dénuement le plus total. Ils ne survivaient que par la pêche mais ne pouvaient plus communiquer avec leurs semblables. Leur station dérivait sur de véritables mers intérieures.

Désormais une équipe avait été constituée pour faire disparaître les vestiges d'une époque dramatique. Dès qu'on repérait une de ces minuscules stations, (on estimait qu'il en existait une tous les deux cents kilomètres), on la faisait sauter avec un explosif si fracturant qu'il ne restait rien. Tout se volatilisait en poussière. Mais les bruits, les légendes couraient quand même.

Chaque semaine on enregistrait des désertions. Les travailleurs rompaient leur contrat, disparaissaient. De simples ouvriers comme les ingénieurs. Malgré les hautes payes, les avantages, les jours de repos. Le Président avait un rapport volumineux dans sa serviette tandis qu'il roulait à toute vitesse vers le chantier de pointe.

Pour rompre la monotonie de ce Viaduc presque rectiligne, monotonie qui créait un malaise puis la terreur, on avait tenté d'aménager un paysage ultra-moderne avec des aires de repos, des aires de bifurcation. Régulièrement, d'immenses plates-formes attendaient l'installation des colons. Des primes étaient offertes. Mais les gens ne venaient pas très vite. Certains, qui signaient des engagements pour obtenir un visa d'entrée, finissaient dans les grandes stations, ne trouvaient pas d'emploi et devenaient des chômeurs assistés.

Pourtant la banquise offrait des possibilités infinies. On pouvait, grâce à l'eau chaude de l'océan et des pompes à chaleur perfectionnées, fournir une énergie bon marché. Le long des piles du Viaduc, surtout celles érigées sur des îles flottantes de glace, les colonies d'animaux se multipliaient, des phoques, des morses, des otaries, des manchots. Les baleines les plus énormes que l'on ait jamais vues empruntaient certains cheneaux. Certaines, disait-on, frôlaient les mille tonnes mais le Président n'en avait jamais vu. Celles de deux à trois cents tonnes étaient nombreuses. D'ailleurs une partie des cétacés traités dans la périphérie de Kaménépolis provenait d'un centre de pêche installé en pleine banquise.

Les poissons abondaient, toutes les espèces et ceux qui installaient une usine de pêche ne le regrettaient pas. Chaque jour on expédiait des dizaines de wagons vers l'ouest.

On travaillait, on prospérait, mais avec toujours cette angoisse sourde que d'un seul coup la plus grosse catastrophe pouvait se produire. Le Viaduc pouvait se morceler, s'abîmer dans l'océan. Ces colons téméraires resteraient isolés combien de temps ? Comment les sauver lorsqu'on savait que les moyens techniques et l'argent manquaient ?

Et c'était là que les Rénovateurs du Soleil avaient choisi de frapper avec leurs dirigeables. Exactement au kilomètre 4500 du Viaduc. Sans prendre le moindre risque. Leurs appareils avaient un jour traversé cette immense étendue de glace et d'eau de mer. Désormais, les dirigeables possédaient une exceptionnelle autonomie de vol, pouvaient emporter du carburant pour de longues croisières.

De petites stations les avaient signalés, puis plus rien, et le Président avait pensé que les appareils se dirigeaient vers le sud-est, c'est-à-dire la partie centrale de la Panaméricaine. Pas un seul instant il n'avait pensé au Viaduc.

Les quatre dirigeables avaient donc déposé des hommes aux points kilométriques 4500, 4503, 4510. Et ces commandos s'étaient mis au travail, avec des lasers portatifs alimentés par des groupes électrogènes puissants malgré leur taille réduite.

Dix kilomètres de Viaduc détruits. Vraiment détruits. Les ancres d'immobilisation avaient été rompues et les arches, une fois le tablier découpé au laser, étaient parties au gré des courants marins. Dans cette zone la grandiose construction traversait un bras de mer important. Trente kilomètres dans sa partie la plus étroite. Il avait fallu installer des câbles énormes pour amarrer les piles. Quatre mois de travail pour plusieurs équipes, deux milliards de calories. Tout saccagé et d'un seul coup l'entreprise de pointe coupée de ses bases, de la civilisation pendant des semaines. Deux cents hommes à évacuer alors qu'on ne savait comment faire. Deux cents hommes avec juste du ravitaillement pour une semaine. On n'avait pas prévu que dix kilomètres de Viaduc pourraient un jour disparaître ainsi.

Précisément en approchant du kilomètre 4500, le Président ordonna que la loco-fusée ralentisse sa course. Le petit bolide passa de deux cent cinquante kilomètres heure à quarante et le Président fit même arrêter son train spécial sur une voie de garage, descendit pour aller vérifier la cassure.

On avait à la hâte rétabli des arches réduites pour installer une voie. Là-bas, de l'autre côté, les équipes se battaient pour quelques provisions, pour rien, parce qu'ils crevaient de peur. Personne ne songeait à aller pêcher ou chasser sur la banquise. Ils s'enfermaient dans les wagons confortables, se plaignaient du chauffage réduit, de l'alimentation rationnée et plusieurs fois par jour les batailles rangées faisaient des victimes.

Sur deux cents ouvriers coincés on avait compté huit morts violentes, quarante blessés sérieux. Le reste évacué sur les trains-hôpitaux de la police ferroviaire avait dû être soigné des semaines durant. Sur les deux cents, douze seulement avaient accepté de revenir travailler sur le chantier de pointe.

Avec sa pelisse qui balayait la glace, le Président ressemblait à un ourson nouveau-né. Il s'approcha du chantier en panne. Pour l'instant on se contentait de quatre voies pour alimenter le bout du Viaduc en matériel et fournitures diverses. Le Président savait que l'argent manquait et que bientôt il devrait encore réduire les dépenses. Il pensait à un emprunt mondial qui serait garanti par ses actions mais il avait peur que sa monnaie, la calorie, se dévalue d'un seul coup.

Quatre voies seulement, alors que sur le tablier immense on pouvait en faire passer dix fois plus. Le Viaduc était prévu pour les charges les plus lourdes.

— Même pour les croiseurs lourds et les cuirassés

de Lady Diana, lançaient les détracteurs de cette construction.

Ils n'avaient pas tort, estimait le Président. Lady Diana pourrait attaquer de ce côté, sachant qu'il hésiterait à faire sauter ce magnifique ouvrage d'art.

Un flatteur lui avait dit qu'autrefois son œuvre aurait été visible de la Lune. On le disait de la muraille de Chine par exemple. Seulement il n'y avait plus de Lune : elle tournait en poussière autour de la Terre, masquant le Soleil et la muraille de Chine était écrasée sous des masses de glace.

Une colère froide l'habitait. Une haine féroce contre les Rénovateurs qui avaient su le toucher au cœur. Ils avaient bien calculé et ils avaient recommencé dans de moindres proportions à plusieurs reprises, si bien que les volontaires pour le chantier fondaient chaque jour. Pourtant avec le salaire d'une année on pouvait vivre ensuite dix ans comme un bienheureux, acheter une serre ou un train de transport.

Il se pencha sur le vide. Cinquante mètres en dessous coulait l'océan. Il donnait vraiment l'impression de suivre un sens, comme un fleuve de jadis. Des goélands énormes attaquaient un banc de poissons qui faisait bouillonner la surface. Il revint dans son train.

— Inutile de rouler à la vitesse maximum, dit-il. Il suffit que nous arrivions avant la nuit.

CHAPITRE X

Le nouvel ingénieur responsable du chantier de pointe se nommait Garant et venait de Transeuropéenne. Ayant eu connaissance de cette œuvre d'art gigantesque, lancée par le Président de la Compagnie de la Banquise, il avait abandonné une excellente situation pour venir demander du travail comme un simple ouvrier. Il avait émigré avec sa famille qui habitait Titanpolis. En quelques mois à cause des défections (le Président parlait de désertions), il était devenu le maître d'œuvre de l'ouvrage et s'en tirait très bien avec le peu de moyens dont il disposait désormais. Lorsqu'on avait fait deux kilomètres de Viaduc en une semaine on criait victoire sur le chantier, alors que quelques années auparavant on dépassait ce chiffre chaque jour.

— Président, je suis très honoré.

Mais c'était une formule, le gnome venant au moins chaque semaine sur les lieux. Il suivit Garant qui se dirigeait vers sa draisine d'inspection et le Transeuropéen le conduisit jusqu'à la dernière arche. Au-delà c'était l'inconnu, la banquise et l'océan, les terreurs inattendues, peut-être les monstres dont tout le monde parlait. Le Président se souvenait de ce monstre qu'on lui avait signalé vers l'est, au début de sa carrière. Il était parti sur le réseau existant à bord d'un vieux remorqueur pourri. Et il avait rencontré le monstre écumant, effroyable : Titan, le volcan, qui désormais fournissait eau chaude, électricité soufre et silicium à la Compagnie.

— La situation ?

— Inquiétante, dit Garant sans détours. La moitié de l'effectif est dans le train-hôpital : engelures, congestions, blessures, fractures, stress, crises de delirium tremens et j'en passe. Je sais que l'alcool est interdit mais il faudrait fouiller sans arrêt. Il y a les transporteurs privés qui trafiquent, les mécaniciens officiels, tout le monde.

— Combien d'hommes dans le train-hôpital ?

— Cinquante-deux, je crois. Le reste se partage en trois groupes : les grévistes, une dizaine qui réclament des trucs impossibles à accorder, cinq semaines de congé pour une de travail et la possibilité d'un pourcentage sur les bénéfices futurs de la Compagnie dans cette région.

— Ensuite ?

— Vingt bonshommes font la grève perlée, et le reste travaille.

Le Président fit signe et la draisine d'inspection s'arrêta. Il descendit et continua à pied. Plus loin il n'y avait que les rails, des machines et des grues, puis le vide. On apercevait dans la nuit, grâce à quelques projecteurs, la pile en construction deux cents mètres plus loin. Puis c'était fini.

— Je vais abandonner, dit-il.

— Président...

— On fermera le chantier pendant le temps nécessaire pour épurer la situation. Il faut d'autres équipes qui en veulent, d'autres méthodes. Je ne sais pas encore lesquelles mais on perd de l'argent. Quand nous avancions d'un à deux kilomètres jour nous ne dépensions pas plus d'argent, d'énergie qu'aujourd'hui.

— Cet accident du kilomètre 4 500 a tout gâché, murmura Garant. Jusque-là c'était vivable.

— Je sais. Quand je dis que je vais abandonner ce n'est pas tout à fait juste. Nous allons tenter une expérience mais nous avons besoin de votre collaboration la plus étroite.

— Si elle ne dépasse ni mes compétences ni mes conceptions morales je suis de cœur avec vous.

Ils retournèrent à la draisine, puis l'ingénieur en chef fut invité à dîner dans la loco-fusée du Président et découvrit que cet homme étrange, difforme, savait largement profiter de sa richesse.

Les plats qui furent servis, ainsi que les boissons, témoignaient d'une sensualité gourmande et le Transeuropéen considéra son patron avec un respect presque affectueux.

— Nous allons tendre un piège aux Rénovateurs. Nous pensons que la prochaine fois ils attaqueront le chantier de pointe. Nous allons tout faire pour ça.

— Mais comment ?

— En les provoquant.

Il versa un vin rouge fabriqué depuis peu par les Sibériens, et qui recevait un accueil chaleureux de ceux qui pouvaient payer un prix fou chaque flacon en céramique isotherme. Même en plein air ce vin ne pouvait geler. Il était capiteux, mais assez parfumé.

— Pour les provoquer nous allons publier un plan bidon sur la nouvelle tranche de travaux. Par exemple nous dirons que de nouvelles équipes hautement spécialisées espèrent faire avancer le Viaduc d'un kilomètre, puis de deux et trois par jour. Qu'un ravitaillement spécial, des moyens confortables leur seront fournis et qu'en cas d'isolement total et prolongé elles pourront poursuivre leur tâche sans se soucier de ce qui se passe à l'arrière.

— C'est un peu gros, non ?

— Les Rénovateurs ignorent beaucoup de choses

sur nous, après chaque raid ils se retirent à quatre ou cinq mille kilomètres, dans une zone reculée où les nouvelles radio n'arrivent pas. Ils vont mordre à l'hameçon et c'est ici qu'ils viendront frapper.

— Vous croyez ?

— Nous en sommes sûrs.

— Mais les ouvriers n'accepteront pas ce bluff...

— On va envoyer les ouvriers au repos, en arrière. Dans une ville moyenne. Et on les remplacera par des policiers et des soldats qui seront déguisés en ouvriers ou ingénieurs. Mais dans leurs trains se dissimuleront des armes, des lance-missiles. Nous devons détruire leur flottille de dirigeables ou du moins en bonne partie.

Garant regarda son verre de vin :

— Vous arrêtez le chantier ?

— Aussi longtemps que nécessaire.

— C'est-à-dire, d'après vos évaluations ?

— Entre deux semaines et un mois. Rien de bien spectaculaire. Si nous frappons un grand coup je donne ensuite un grand feu vert pour la poursuite des travaux, avec un emprunt vendu dans le monde entier.

— Un emprunt ? s'étonna l'ingénieur en chef.

— Cinq milliards de dollars.

Garant reposa son verre et ferma les yeux :

— C'est une somme fabuleuse... Vous allez devoir rembourser deux milliards de dollars par an... Le cinquième du revenu brut de la Compagnie ?

— Vous êtes bien documenté. Un revenu qui doit croître de vingt pour cent chaque année durant encore trois ans. Puis il y aura stagnation. Mais le Viaduc commencera à produire ses fruits, ses richesses.

— La calorie sera dévaluée.

— Je sais, mais nos produits n'en seront que meilleur marché, compétitifs.

— Mais le remboursement s'effectuant en dollars...

— J'y ai songé...

Le Président envisageait une opération diversifiée pour cet emprunt. La calorie ne cessait de monter aux dépens des autres monnaies. Un temps, on avait frôlé les cent calories pour un dollar. Mais le Président étudiait une série de mesures pour arrêter cette hausse et même faire remonter le dollar artificiellement pour préparer son emprunt. Si les résultats escomptés pour l'économie des futurs années se révélaient justes, la calorie retrouverait son niveau élevé et la Compagnie aurait beaucoup moins à rendre qu'elle n'aurait emprunté. Des experts étudiaient depuis quelque temps les dispositions les plus favorables.

— Combien de soldats, de policiers sur ce chantier ?

— Une centaine suffiront mais l'armement sera sophistiqué.

— Et si les Rénovateurs attaquent le Viaduc plus bas ?

— Nous allons camoufler nos trains D.C.A. en transporteurs habituels qui ne cesseront d'aller et venir sur les cinq mille kilomètres de Viaduc. Nuit et jour.

Garant inclina la tête :

— Vous pouvez compter sur moi. J'ai foi dans la société ferroviaire et je déteste ces fous.

CHAPITRE XI

Le vieillard accepta de les accompagner pour la première audition de *la Symphonie Concertante* de Mozart, par l'orchestre de la Compagnie. On allait enregistrer ce concert et diffuser largement les cristaux dans la Compagnie pour promouvoir la musique.

Les journaux, la radio, la télévision de plusieurs Compagnies avaient tenu à assister à cette soirée, chose très exceptionnelle. Yeuse ne se souvenait pas d'avoir vu autant de journalistes dans les fauteuils qui leur étaient réservés et qui d'ordinaire restaient vides. Mais l'événement était d'importance. C'était la première fois, depuis trois cents ans, que l'on donnait cette œuvre dont les partitions s'étaient perdues durant la Grande Panique.

Melkian avait loué des vêtements moins fripés que ceux qu'il portait d'habitude et Yeuse fut sensible à cette attention.

— Je ne savais pas ce qu'était la musique avant de venir ici, d'écouter les radios, d'assister aux répétitions. Je ne pense pas découvrir désormais quelque chose de plus émouvant dans les années qui me restent à vivre.

Lorsque ce fut fini Yeuse vit qu'il pleurait et elle lui prit le bras. Cet homme la mettait mal à l'aise, l'irritait. Pire, elle le haïssait parfois car il faisait partie des assassins de Lien Rag, mais ses larmes la touchèrent et elle voulut qu'ils viennent boire un verre avec le chef d'orchestre et les musiciens.

Plus tard, R et elle le raccompagnèrent jusqu'à son modeste hôtel et soudain, dans le loco, il se mit à parler :

— J'ai mis du temps à comprendre ce qu'était la musique, mais j'ignorais tant de choses. Par exemple ce qu'était la *viande,* ou certains mots, *astronef.* On ne trouve aucun dictionnaire actuel avec ce nom et il a fallu que je cherche dans de vieux livres en très mauvais état de la bibliothèque.

R tressaillit. Il pilotait le loco au moteur silencieux et regarda sa femme.

— Pourquoi ce nom-là ?

— Parce que Lien Rag l'a prononcé souvent dans la cellule où ils étaient tous les trois.

— Que disait-il exactement ?

— Que des gens étaient venus de je ne sais où, avec des astronefs dont certains devaient encore exister quelque part en état de marche. Il parlait aussi d'un gouffre avec des monstres, et dans ce gouffre existerait l'épave d'un de ces astronefs détruits. L'équipage aurait survécu, engendré ces êtres difformes qui veilleraient là-bas dans ce trou... Astronef. Je ne savais pas comment notre monde était constitué. Il m'a fallu m'astreindre à étudier ces images. Les étoiles, la Lune, la Terre, le Soleil... Ça ne veut pas dire grand-chose pour moi. Il n'y a rien au-dessus de notre tête que cette sorte de brume épaisse.

— Que disait encore Lien ? murmura Yeuse.

— Qu'il était né pour retrouver ces vaisseaux... Il parlait de vaisseaux. Ce sont d'étranges véhicules, n'est-ce pas ?

— En quelque sorte, oui.

— Voilà, il était né pour les retrouver et ce n'était pas sa mort qui arrêterait sa mission. Je ne comprends pas ce qu'il a voulu dire. Vraiment je ne comprends pas car je l'ai vu mourir congelé. Puis on a placé son corps dans un wagon-cimetière. Il y est resté certainement jusqu'à ce que ces pirates nous attaquent.

— Vous avez vu quand ils ont ouvert son cercueil de glace ?

Melkian secoua la tête. Le loco venait de s'arrêter devant son hôtel. Il ignorait que Yeuse payait une bonne partie de sa pension sinon il serait peut-être reparti pour ne pas être à charge.

— Non, je n'ai vraiment pas vu... J'étais occupé ailleurs...

— Ils ont ouvert tous les cercueils ?

— Je ne pense pas, vraiment je ne peux pas l'affirmer.

— Qu'y a-t-il là-bas dans la concession des Eboueurs ?

— Je ne sais pas... Je me suis enfui très loin. Tous les Eboueurs ont été tués ou dispersés.

Mais il ne regrettait pas. Il parla à nouveau du concert :

— Je n'ai jamais rien entendu de si beau. Il faut que je rentre me coucher pour rêver encore de cette musique. Vous savez qui était ce Mozart ?

— On trouve facilement des livres sur lui à la bibliothèque, dit R.

— Tant mieux... J'irai demain. Pour l'Eglise catholique du premier millénaire c'est plus difficile. Avez-vous entendu parler du concile de Chalcédoine ?

Ils échangèrent un regard amusé :

— Pas précisément.

— Moi non plus. Il paraît qu'il y aurait eu plusieurs conciles et je m'embrouille. C'était très important pour le vieil homme qui accompagnait Lien Rag. Il en parlait tout le temps, et même ils se sont disputés, comme s'ils avaient la vie entière devant eux. J'ai trouvé ça si étrange, si inattendu que je n'ai jamais pu les oublier, vous comprenez. On nous avait dit que ces trois-là étaient les êtres les plus dangereux de notre Terre.

Yeuse se tourna violemment vers lui :

— Qui le disait ?

— Nos chefs... On le chuchotait sans arrêt et nous veillions sur eux sans relâche, mais les gens venaient les voir avec curiosité.

— Essayez de vous souvenir, qui avait pu lancer une telle accusation ? Ce n'est pas venu comme ça dans cette petite Compagnie de rien du tout.

— Je ne sais pas, non vraiment... Il faut que je rentre maintenant. Le veilleur de nuit m'attend chaque soir pour m'offrir un thé et je ne voudrais pas le faire attendre...

— Melkian, c'est primordial pour nous de savoir ces choses-là. Vous vous en doutez. Lien Rag est mort mais nous ne savons ni pourquoi il est mort, ni qui a demandé aux Eboueurs de le tuer, vous comprenez ?

— Je suis plein de cette musique et mon cerveau en est comme paralysé. Je vous promets d'y réfléchir mais ce soir c'est inutile, je ne dirais que des sottises.

Il descendit du loco-car et se dirigea vers le hall de l'hôtel.

— Rentrons, dit R.

— Qu'en penses-tu ?

— Attendons demain.

— Si Lien était encore là-bas, dans un coin oublié, un wagon maintenant recouvert de glace... Si seulement nous pouvions récupérer son corps, celui de Leouan et celui de Harl Mern, il me semble que je serais plus sereine ensuite.

CHAPITRE XII

Parce qu'il était seul, le Président abandonna son fauteuil électrique pour aller se camper sur la carte du Réseau Nord, celui du 160e méridien. Toutes ces cartes dans son vaste bureau étaient à hauteur normale. Une personne ignorant sa petite taille et visitant son bureau en son absence n'aurait jamais perçu son handicap.

Il alla chercher un petit escabeau caché dans un placard et localisa la cross station dont il venait de lire le nom dans un rapport confidentiel. Flower Station. Il essayait de se souvenir la raison de ce nom poétique mais n'y parvint pas. Il lui faudrait consulter le catalogue des nouvelles inscriptions.

Cette cité, une des nouvelles cités-bulles, se trouvait sur le grand Réseau du 160°, au-delà de Jarvis Point. C'était déjà très loin dans le nord.

La veille un gros dirigeable des Rénovateurs du Soleil s'était immobilisé à la verticale de la station et, pendant deux heures et trente-deux minutes, la petite agglomération avait été entièrement coupée du réseau et du reste de la Compagnie.

Il rangea l'escabeau, remonta sur son fauteuil et étudia le rapport. Tout avait commencé juste avant le lever du jour. Les alternateurs électriques fonctionnant au méthane des digesteurs s'étaient arrêtés net. Il était huit heures cinquante-trois minutes. Le mécanicien de service venait d'arriver à la petite centrale et aussitôt avait cherché à se brancher sur le réseau de la Compagnie, mais avait dû constater que le courant n'irriguait plus les voies.

A la tour d'aiguillage installée au centre de la station-bulle, l'Aiguilleur de veille avait cru rêver. Tous les aiguillages électroniques, les signaux, bref tout le système de sécurité s'était brusquement paralysé. Un convoi de marchandises annoncé pour l'instant même n'était pas visible à l'œil nu, certainement stoppé à vingt kilomètres de là.

Flower Station, il le vérifia dans son catalogue, devait son nom aux vergers expérimentaux qu'on y installait depuis deux ans. On y élevait des arbres fruitiers, des ceps de vignes selon des méthodes sophistiquées qui ne devaient presque plus rien à l'arboriculture classique. La végétation ne suivait plus le rythme des saisons et, par exemple, on y trouvait des pêchers qui en étaient à tous les stades de leur cycle. De ce fait les immenses serres en verre de silicium étaient toujours fleuries et embaumaient l'air tiède qui circulait dans les allées. D'une rookery située à cent kilomètres à l'est provenait le guano qui était à la base de cette réussite. La fiente des manchots était entreposée dans d'immenses digesteurs qui produisaient le méthane et, une fois dégazifiés, les résidus formaient la couche fertile des plantations.

La ville était construite selon la nouvelle technique de la bulle. En verre de silicium aux qualités isolantes incomparables, celle-ci avait été aux deux tiers enfouie dans la banquise. De la sorte elle ne subissait plus les mouvements de la glace et les habitants, rassurés par ce système, n'éprouvaient plus le moindre stress. Ils savaient qu'au pire, en cas de réchauffement brutal, de fissures, la bulle lestée surnagerait le temps qu'il faudrait. Les immenses serres indépendantes s'étiraient sur vingt kilomètres autour de la voie secondaire par laquelle arrivait le guano.

Le mécanicien de la mini-centrale, ne pouvant communiquer avec l'Aiguilleur de garde, s'était rendu au poste de ce dernier et c'est alors qu'il avait levé la tête et découvert l'énorme dirigeable qui se trouvait juste au-dessus de la bulle.

Mon nom est Autelex. Je suis électricien indépendant et j'ai été chargé, par le chef de station, de la régie de la mini-centrale au méthane de Flower Station. Lorsque j'ai eu constaté que l'électricité n'était plus produite par mes groupes et que je ne pouvais me brancher sur le réseau j'ai tenté d'appeler l'Aiguilleur de service, puis le chef de la station. En vain, le téléphone électronique était muet, sans la moindre tonalité, de même le petit émetteur radio portatif dont je dispose.

En me rendant à la tour d'aiguillage j'ai levé la tête et aperçu cette chose énorme, monstrueuse. J'ai déjà vu des chenilles dans un vivarium de Titanpolis et j'ai eu l'impression que c'était une de ces bêtes métamorphosée en monstre qui se trouvait sur ma tête. L'ensemble devait faire deux cents mètres de long et peut-être vingt à trente mètres de diamètre. Sous la masse un peu flasque, un peu tremblante, du moins j'ai eu cette impression, il y avait comme une sorte de rame de wagons suspendue par des câbles. Oui, c'est cela. Une rame de cinq wagons et, d'après les hublots, cette construction jamais vue devait posséder deux étages. De plus il y avait un sas transparent et souple pour pénétrer dans la « chenille ». J'ai même vu les échelles d'accès.

Il y avait aussi autre chose qui m'a fortement impressionné. Tout autour de cette partie habitable on avait installé comme un balcon, une coursive à l'air libre et il y avait des êtres humains accoudés et qui

72

nous regardaient. Je les ai comptés, ils étaient cinq et j'ai eu l'impression d'être comme une fourmi de ce même vivarium que l'on observait comme une curiosité. Je me suis précipité dans la tour d'aiguillage et l'Aiguilleur de service m'a confirmé que tous les systèmes électroniques se trouvaient paralysés. Je lui demandai s'il pensait que la Chose au-dessus de nous pouvait en être responsable mais il n'a pas voulu répondre.

Le Président reposa le rapport de Autelex et en prit un autre. Le chef de station avait reçu un bref ultimatum sous forme de tracts envoyés du ciel, puisque les radios ne marchaient plus. On lui ordonnait de mettre à la disposition du « dirigeable » (ce fut le terme employé sur ce papier), les wagons-citernes d'huile de baleine qui constituaient la réserve de la station au cas où le guano, puis l'électricité de la Compagnie, viendraient à manquer. Il était dit qu'en cas de refus un rayon laser pratiquerait, pour commencer, un trou d'un mètre de rayon dans la bulle. Puis toutes les cinq minutes d'autres trous.

Le chef de station n'avait pas jugé utile d'accepter sur-le-champ. Seulement au quatrième trou, quand la température de la station commença de dégringoler de quinze à cinq degrés, et que les habitants qui avaient lu les tracts cernèrent son wagon-bureau. D'autres tracts menaçaient d'en faire autant sur les serres des clones, là où de minuscules rejetons d'arbres rares tentaient de reprendre vie.

Le chef de station fit alors le signal demandé, il monta dans la tour d'aiguillage et agita un drapeau rouge et un drapeau noir.

Du dirigeable descendit un tuyau de dix pouces de diamètre qu'une équipe de cheminots n'eut qu'à brancher successivement sur les réserves d'huile. En moins d'une heure toutes les réserves furent aspirées directement dans la grande masse molle qui devait abriter les réservoirs. En tout trois cents hectolitres d'huile. Au fur et à mesure que le dirigeable avalait ce carburant il se regonflait, reprenait sa forme rigide.

Le Kid sourit. Ces naïfs croyaient que l'appareil se regonflait à l'huile de baleine, alors qu'en fait c'était pour maintenir son altitude que l'équipage envoyait de l'hélium dans les ballonnets, pour compenser le poids des trente mille litres d'huile. Trente tonnes. Jusque-là on lui avait dit que ces monstres pouvaient emporter cent tonnes, mais il allait falloir réajuster ce chiffre. Celui-là en tout cas devait pouvoir transporter le double, peut-être le triple.

Il y avait de nombreuses photographies mais, chose normale, aucun appareil sophistiqué n'avait pu fonctionner, et c'était un jeune garçon de douze ans avec un appareil désuet et très simple qui avait seul pu réaliser ces clichés. Ils n'étaient pas d'excellente qualité mais enfin le Président pouvait se faire une idée précise de cette affaire.

« La chenille » était vraiment monstrueuse et semblable à cette catégorie de larves dégoûtantes que l'on pouvait voir dans le vivarium avant qu'elles ne se transforment en papillons. Il y avait des anneaux, le même aspect flasque mais pas de poil bien sûr. Et sur une autre photographie le dirigeable avait repris son apparence habituelle.

Il distinguait ces silhouettes sur l'espèce de passerelle en plein air. A la loupe, et sur une des photos agrandies, il pouvait voir que toutes portaient des combinaisons étanches et des sortes de casques intégraux. Un équipement très perfectionné certainement volé dans une autre station.

Le Président attarda sa loupe sur une silhouette qui se tenait un peu à l'écart. Cette personne

74

paraissait plus petite, plus menue. Une femme peut-être.

Le rapport indiquait qu'une fois l'huile aspirée, le dirigeable ne s'était pas éloigné sur-le-champ. Il avait attendu une bonne demi-heure.

Pendant ces deux heures trente-deux minutes aucun train n'avait pu atteindre Flower Station. Alors que six au moins, sans compter les convois privés, les transporteurs, les patrouilleurs de police, auraient dû se présenter aux sas. Et à onze heures vingt-cinq la mini-centrale s'était remise à fonctionner, le téléphone avait repris sa tonalité et un train s'annonçait sur le dispatching.

Le Kid avait relu ces rapports un certain nombre de fois ainsi que les explications fournies par une douzaine de spécialistes en tous genres. Les plus savants, comme ceux qui possédaient une grande expérience de l'électronique, fournissaient des théories que le Président ne comprenait pas dans leur totalité. Il n'en retenait qu'une conclusion : pour saturer, paralyser une station, même de la taille de Flower Station, il fallait disposer d'un appareil inconnu qui dévorerait une énergie colossale impossible à créer à bord d'un aérostat, pour si énorme qu'il fût.

C'était matériellement impossible à réaliser et pourtant, pendant deux heures et quelques, Flower Station avait été coupée du reste du monde. Bien sûr les dispatchings avaient donné l'alerte, les mécaniciens de trains affolés d'être immobilisés en rase banquise également. Les voyageurs avaient été pris de panique. Nul n'aimait être ainsi bloqué sur la banquise déserte avec juste le réseau à perte de vue. Tout le monde se souvenait de la précédente catastrophe quelque douze à treize ans auparavant, quand un réchauffement criminel, dû à ces fous de Rénovateurs du Soleil, avait fait fondre la glace. Des trains s'étaient engloutis dans les abîmes sans fond de l'ancien océan Pacifique.

C'était matériellement impossible et pourtant ce dirigeable avait réalisé l'exploit, et nul ne pouvait dire comment. Trente mille litres d'huile de baleine. Avalés sans difficulté. Combien d'heures d'autonomie pour ces bandits ?

Le Président se renversa dans son fauteuil et ferma les yeux. Les opérations de ce type se multipliaient, mais c'était la première fois que ces pirates paralysaient une agglomération de la sorte. Jusque-là ils avaient attaqué des postes de pêche isolés, des fonderies de lard mal protégées et souvent occupées par une seule famille qui, terrorisée par le dirigeable, ne pouvait que se soumettre à la volonté de son équipage.

Le Président en concluait que ses ennemis ne possédaient pas d'installations capables de leur fournir de grosses quantités de carburant. Ou bien qu'ils devaient se ravitailler en route. Pourtant le dirigeable de Flower Station n'avait pas reparu ailleurs. Même sur le Viaduc où le système de protection se trouvait discrètement en cours d'installation. Dans une semaine le piège fonctionnerait et le Président avait craint une attaque surprise impossible à parer.

Il demanda que le conctact soit établi avec le grand maître Lichten responsable de la sécurité de la Compagnie. Il dut patienter avant que son chef d'état-major soit en ligne :

— Il faut tout modifier, Lichten. Suite à l'incident de Flower Station nos systèmes seraient paralysés en cas d'attaque. Les trains ne pourraient plus circuler, même les diesels car ils font malgré tout appel à l'électronique... Il faut installer des postes fixes dans de vieux wagons banalisés, avec des lance-missiles primitifs.

— Ce ne sera pas facile, dit Lichten.

— Il y a de vieux stocks d'équipements au rebut. Il nous faut aussi les locomotives à vapeur. Il faut que les aiguillages soient doublés par un système manuel, de même pour les signaux les plus importants. Nous n'avions pas prévu qu'ils posséderaient une telle arme.

— Est-ce vraiment une arme ? demanda Lichten.

CHAPITRE XIII

Dans son bureau de l'Académie, Yeuse vérifiait les comptes des théâtres subventionnés lorsque le Kid l'appela au téléphone. Désormais elle ne pouvait jamais l'appeler, elle, il faisait répondre par son entourage qu'il ne pouvait lui parler. Il devenait de plus en plus inaccessible, s'isolait avec volupté, semblait-il, dans sa fonction.

— Yeuse ? Où est Jdrien ?

— Mais je n'en sais rien. Il poursuit sa croisade parmi les tribus de l'est je suppose. En même temps il essaye de savoir comment son père a disparu.

— Vous êtes sûre qu'il se trouve dans l'est ?

— Pas absolument, pourquoi ?

Le Kid attendit quelques secondes avant de demander :

— Vous souvenez-vous quand vous l'avez recueilli en Panaméricaine ? Il s'était enfui d'un train-nursery où Lady Diana le retenait, pour se réfugier chez un vieux cinglé qui vivait dans un wagon délabré.

— Pavie n'était pas un vieux cinglé, s'indigna Yeuse.

— Passons...

— Jdrien l'adorait, le considérait comme son grand-père. Il est mort là-bas dans la Cité Fantôme de la Banquise, enterré dans la caverne de glace presque au niveau de l'océan, là où les baleines des Hommes Jonas viennent également mourir, mais souvent aussi mettre bas.

— Je vous en prie, Yeuse, je n'ai pas de temps à perdre, c'est très grave.

— Vous n'avez plus de temps à perdre désormais.

— Yeuse, hurla le Gnome, tais-toi ou j'envoie la police te chercher pour te ramener ici.

La jeune femme pâlit et frissonna. Le Président n'était plus ce pauvre nain, bouffon obscène d'un train-cabaret minable. Elle en avait peur désormais.

— Tu te souviens de la façon dont vous vous êtes évadés à bord de ton train spécial pour emprunter le Network Cancer ?

Il s'était radouci mais elle restait sous le coup de son émotion :

— Il y a pas mal de temps mais je m'en souviens. Il avait paralysé des tas de systèmes et même nous avait attribué une priorité absolue sur tous les autres convois. Je me souviens qu'un Aiguilleur nous avait interpellés respectueusement par radio pour avoir notre indicatif, car nous n'étions pas mémorisés sur le grand ordinateur central. Il devait croire que nous étions un haut personnage et sa suite, voire Lady Diana.

— Vous franchissiez tous les obstacles ?

— Oui, non sans terreur car on voyait depuis le poste de pilotage arriver les aiguillages fermés, et à la dernière seconde il y avait le bip d'ouverture et le plot vert qui s'allumait, tandis que les convois freinaient à mort sur l'autre voie. Une belle panique.

— Que faisait Idrien ?

— Il fixait notre schéma de route de façon intense.

— Et alors ?

— Notre pilote, un certain Dsang, s'affolait, ne comprenait pas ce qui nous arrivait. J'ai eu l'impression qu'on se faufilait de justesse dans le trafic en grappillant des secondes dans toutes les directions. Il fallait un ordinateur extraordinaire pour trouver le passage dans des limites aussi exiguës. Et cet ordinateur phénoménal c'était le cerveau de ce petit garçon de moins de trois ans, Jdrien. Je sais que c'est difficile à croire, mais ce fut ainsi. Nous avons tout franchi sans le moindre ennui, le moindre accrochage. Je me souviens d'une écluse colossale qui régularisait le trafic à la sortie d'une grande gare de triage. Il y avait des dizaines, que dis-je peut-être des centaines de convois, dont de monstrueuses unités de guerre pesant des dizaines de milliers de tonnes. C'était effrayant et nous nous faufilions parmi ces monstres pour atteindre la porte en aval, celle qui ouvrait sur la liberté. N'oubliez pas qu'il s'agit du plus important réseau de la Panaméricaine et certainement de toute la planète. Le Réseau California. Des rails à perte de vue si bien qu'il est impossible de les compter. Plus loin il rejoint le Réseau de l'Est et celui du Centre pour n'en former qu'un qui descend vers le Réseau Antarctique. Les convois se succèdent à quelques secondes, il y a les patrouilleurs de la police, les blindés des Milices patronales et j'en oublie.

— Il a réussi à faire passer votre train privé ?

— Il a réussi. A la fin ils avaient placé sur notre voie un blindé que notre radar a signalé in extremis et alors, miracle, nous avons emprunté un aiguillage qui nous faisait changer de ligne. Une chose impossible pour un pilote ordinaire même avec l'aide de tout le système régulateur de la Compagnie.

— Il n'avait que trois ans, il en a dix-huit maintenant... Et tu ne sais pas où il se trouve ?

— Je vous... Je te l'ai dit...

Il y eut un silence. Elle pouvait entendre le Kid respirer avec difficulté. Il n'avait qu'une faible capacité thoracique et à la moindre émotion il avait le souffle oppressé. De même quand il buvait un peu trop d'alcool.

— Yeuse, il me hait, n'est-ce pas? Il m'accuse d'être à l'origine de la mort de son père Lien Rag.

— Il pense que tu n'as pas fait le maximum pour qu'on le retrouve vite. Il sait que tu avais des intérêts avec la Sainte-Croix Company où il devait délivrer Harl Mern. Il pense que tu connaissais le traquenard que lui tendaient les Tarphys, ces tueurs de Lady Diana, complices cette fois-là des Néo-Catholiques.

— Il se trompe, même s'il y a de menues parcelles de vérité çà et là. Sans le vouloir j'ai des intérêts dans bon nombre de petites Compagnies de la Fédération. C'est ainsi, cela se fait même à mon insu. On recouvre certaines créances sous forme d'actions de participation quand les Compagnies sont incapables d'honorer leur règlement. C'est très compliqué mais c'est ainsi. J'avais des intérêts dans cette Sainte-Croix Company comme j'en ai dans une foule d'autres. Ça ne veut pas dire que j'ai souhaité la mort de Lien.

— Tu dis la mort? Sais-tu quelque chose de sûr?

Il soupira et sa voix parut hésiter :

— Mais non... Mais après dix ans je ne crois pas que nous puissions avoir beaucoup d'espoir. Jdrien me hait, mais est-il capable, pour me faire du mal, de s'allier à mes ennemis.

— Les Panaméricains?

— Non. Nous avons signé l'armistice. Pour l'instant mes ennemis sont les Rénovateurs du Soleil... Tu as dû entendre parler de ces dirigeables qui font des raids chez nous?

— En tout cas, fit-elle acerbe, ce ne sont ni les radios ni les journaux qui donnent des détails là-dessus. La consigne de silence est bien respectée et ta censure fonctionne aussi bien qu'en Transeuropéenne. Tu t'es souvenu de tes origines.

— Ne sois pas blessante. Nous ne voulons pas

affoler la population qui connaît une période de paix et travaille avec un courage merveilleux. Notre économie a besoin de tous les efforts et il n'est pas question de donner des terreurs obscures à ces braves gens.

— Travaille et tais-toi, mais je ne pense pas que Jdrien soit capable de s'allier aux Rénovateurs qui sont aussi ses ennemis. Jdrien est métissé de Roux et sait que le réchauffement, la fonte des glaces, feraient disparaître son peuple.

— Il y a des alliances contre nature quand on veut abattre quelqu'un qui gêne. Ecoute-moi, il y a eu un étrange phénomène dans le nord sur le Réseau du 160e... La presse n'en a pas parlé ni la radio, mais la ville, peu importe son nom, a été paralysée pendant plus de deux heures. Toutes les installations électroniques se sont arrêtées de fonctionner. On aurait dit que les circuits étaient morts.

— Et tu penses que c'est Jdrien qui a pu...

— A trois ans il paralysait un gigantesque complexe panaméricain. A dix-huit il doit pouvoir faire mieux ?

— Il y avait des dirigeables ?

— Bien sûr, fit-il à regret.

— Et tu penses seulement à Jdrien ?

— Bien sûr...

Yeuse eut un petit rire triste :

— Je comprends ce que voulait dire Lien Rag quand il affirmait que ce n'était pas la mort qui arrêterait sa mission.

CHAPITRE XIV

Le Président la rappela dans la soirée. Il avait dû interrompre leur conversation pour recevoir des délégations et diriger ensuite son conseil d'administration. Ce soir-là Yeuse n'avait rien de prévu et se trouvait chez elle avec son mari. Un véritable feu de bois brûlait dans la cheminée en cuivre fabriquée sur un modèle d'autrefois. Le bois venait de très vieux wagons mis au rebut. Les meilleures planches étaient rachetées à prix d'or par les fabricants de meubles à l'ancienne mais on trouvait, et c'était ruineux, des débris pour les cheminées.

— Si l'on faisait du feu chaque soir, dit R, tous mes droits d'auteur y passeraient.

C'est alors que le Kid appela :

— Je suis préoccupé par ta phrase : « Lien Rag prétendait que la mort n'arrêterait pas sa mission », qu'a-t-il voulu dire par là ?

— Eh bien, qu'il aurait des disciples, des successeurs je suppose.

— N'essaye pas de me tromper, tu m'as rapporté cette phrase parce qu'elle avait un sens précis et je te serais reconnaissant de me l'expliquer.

Yeuse sourit, se demanda si elle aurait l'audace de proposer un troc. Le Président pouvait du jour au lendemain lui ôter tout ce qu'elle possédait, ses prérogatives.

— Donnant, donnant, dit-elle la gorge contractée mais s'efforçant de paraître désinvolte.

— Que veux-tu?

— Un congé pour essayer de retrouver le corps de Lien.

— C'est de la folie.

— Je sais mais ça m'empêche d'être totalement heureuse. Il faut que je fasse quelque chose, même si c'est vain.

— Et dangereux.

— Possible.

— Je ne peux pas t'empêcher. Tu pourras prendre un congé et partir en voyage. Tu n'avais pas besoin de me demander l'autorisation.

— Oh, je préfère, dit-elle, je n'ai pas envie de voir quelqu'un à ma place au retour.

Le Président éclata de rire :

— Tu exagères.

— N'est-ce pas arrivé plusieurs fois ces derniers temps? Dans tous les domaines?

— Alors tu payes maintenant, puisque j'accepte que tu partes en expédition.

— Lien Rag pensait à sa descendance.

— Donc j'ai raison, Jdrien est le complice de mes ennemis.

— Tu es trop hâtif. J'ai dit descendance. Il y a l'autre.

Le Kid parut avoir raccroché et elle s'inquiéta :

— Tu m'écoutes?

— C'est une légende. Les Roux aiment raconter des histoires complètement baroques... Ce fils qu'une bonne femme du nord lui aurait presque arraché... C'est ça, elle l'aurait violé dans son désir d'avoir un enfant d'un homme aussi célèbre... Et ce fils aurait les mêmes pouvoirs que Jdrien?

— Ce fils existe. Il s'appelle Liensun et c'est déjà tout un programme, non ?

— Lien du Soleil ? C'est stupide.

— Je ne pense pas. Il doit avoir treize ans maintenant... Et Lien pensait que les dons de Jdrien ne venaient pas des Roux mais de lui, enfin de ses origines. Il a retrouvé une ancêtre qui était également télépathe.

— Où serait ce gosse ?

— Sa mère dirigeait une minuscule Compagnie, dite des Ferrailleurs. Ils récupéraient surtout des rails pour les revendre.

— Cette Compagnie a été attaquée et a changé de nom. J'ai lu quelque chose là-dessus autrefois.

— Liensun existe...

Le Kid paraissait parler tout seul et elle ne pouvait comprendre ce qu'il disait :

— Je ne t'entends plus.

— Ce n'est rien. Je pensais à un drôle d'incident qui s'est produit il y a dix ans, quand j'ai vu mon premier dirigeable. Une voix a murmuré quelque chose dans ma tête... Une voix enfantine... Enfin c'est difficile de dire ça. Elle me paraissait enfantine alors que je ne l'entendais pas vraiment. Elle me demandait des nouvelles de son père. J'ai cru que j'avais une hallucination.

— Ne cherche pas, Kid... Oh, excuse-moi, Président... Ce gosse est depuis cette époque avec les Rénovateurs et c'est lui qui a bloqué tous les appareillages électroniques de ta station.

— Je ne suis pas convaincu, dit le Président... Lien aurait eu deux fils ? Mais pour quelle mission ? Il n'était pas lui-même tellement enthousiasmé par les Rénovateurs du Soleil.

— Il cherchait une solution médiane... peut-être cette Voie Oblique dont on parlait autrefois, tu te souviens ?

CHAPITRE XV

Dans ce train de marchandises à la lenteur inquiétante où un demi-wagon glacial accueillait les voyageurs, il avait cru ne jamais atteindre cette minable
petite station perdue le long de cette voie qui ne
figurait peut-être même pas sur les Instructions
Ferroviaires.

Lorsqu'il avait demandé comment se rendre à Gull
Station, dans une importante cross station du
Réseau de l'Ouest australasien, on l'avait regardé
comme s'il se moquait des gens.

— Ça m'étonnerait qu'il y ait une station de
« jobardise », lui dit un employé.

Gull signifiait ce genre de chose et il ne savait pas
très bien quelle était la caractéristique exacte de ce
trou perdu. Possible que ce soit un tripot connu des
seuls habitués, ou une station abandonnée où le train
marquait l'arrêt parce que c'était ainsi.

Jdrien avait abandonné son escorte une semaine
plus tôt, à la suite d'une vague information transmise
par les Roux sur son père Lien Rag. Elle se résumait
en ceci : une sorte de clochard prétendant s'appeler
Lien Rag hantait la ligne du Sud Kerguelen. C'était
tout ce qu'il avait pu obtenir comme information, et
immédiatement il s'était séparé des siens, avait
atteint une cross station du Grand Réseau, plus au
nord.

On l'avait induit en erreur peut-être sans malice, mais il savait que son apparence intriguait ou déplaisait. Il portait des fourrures, avait des cheveux trop longs, trop roux pour passer vraiment pour un Homme du Chaud pure race. On le soupçonnait de métissage mais on n'osait pas trop le lui dire en face. Déjà il s'était battu avec trois voyous qui hantaient les quais pourris d'une gare voisine et les avait mis à mal. En lisant dans leur esprit il avait pu les paralyser de terreur et les assommer. Mais il ne pouvait pas constamment mettre les choses au point de cette façon.

Finalement il était tombé, un jour, dans une autre cross station moins importante, sur une jeune fille qui avait accepté de rechercher pour lui cette fameuse Gull Station.

— Voulez-vous repasser dans deux heures, je pense y parvenir ?

Elle avait tenu parole et pour la première fois il avait entendu parler du Sud Kerguelen.

— Vous connaissez ? avait demandé la jolie brune au visage délicat.

— Non, jamais entendu parler d'un tel endroit.

— Je ne l'ai même pas dans les Instructions Ferroviaires. J'ai essayé l'ordinateur, mais nous n'avons droit qu'à une demi-heure chaque jour pour des motifs beaucoup plus importants. Si mon chef découvre que je m'en suis servi pour une raison qu'il jugera, lui, dérisoire, je risque d'avoir des ennuis.

— C'est quand, cette demi-heure ?

— Dans quelques minutes, fit-elle ennuyée... Il n'y a même pas une bibliothèque d'Instructions Ferroviaires. Où alors il faudrait vous rendre à Mozambic Station. C'est une star station à huit branches. Mais il faut vingt-quatre heures pour l'atteindre.

— Où est l'ordinateur ?

Elle hocha son menton à fossette vers une pièce vitrée dans le fond de ce wagon-gare.

— Merci.

Jdrien alla appuyer son front contre la vitre, juste au-dessus de la console du terminal. Le technicien qui attendait son créneau d'une demi-heure le regarda méchamment, le prenant pour un de ces traîne-wagons qu'on rencontrait un peu partout. Il en avait l'apparence avec ses fourrures crasseuses, au milieu de ces gens vêtus de combinaisons parfois très seyantes et très adaptées au climat.

Il connaissait ce genre d'appareil, il l'avait étudié autrefois quand il vivait avec les Hommes du Chaud, Yeuse. Il pouvait interférer dans la sollicitation que l'employé se préparait à faire. Il se concentra et comprit comment il devait interroger la banque de données située à des milliers de kilomètres, traduisit en langage basic Gull Station ainsi que Kerguelen Network.

Le technicien jura car la demande de Jdrien l'empêchait de formuler la sienne.

— C'est une merde ce truc ! hurla-t-il si fort que les voyageurs se retournèrent. Une merde de trois siècles remontée du fond des glaces pour venir nous emmerder. Il est court-circuité et voilà encore quelques minutes de perdues.

Ce fut inhabituellement long. Jdrien se souvenait d'avoir shunté des appareils plus modernes, et la réponse ou la réaction arrivait dans la seconde suivante, même si elle était née à des milliers de kilomètres.

— Bon, voilà autre chose !

L'écran cathodique grésillait et Jdrien regarda avec attention les mots qui s'inscrivaient : « Kerguelen Station Indicateur P60 des sous-Compagnies. Gull Station trente-troisième arrêt du réseau. Deux services hebdo. »

Lorsqu'il s'approcha de la jeune fille brune il constata que sa bouche tremblait nerveusement.

— Vous avez l'indicateur P60 ?

— Je vous en prie... Dites-moi que je ne rêve pas... Personne ne sait encore, ne peut se rendre compte, mais moi... Vous avez manipulé la console... le clavier à distance. Je l'ai vu...

— Mais non, dit-il en souriant. J'ai seulement influencé le technicien. C'est tout.

Elle reculait et il craignit qu'elle ne se mette à hurler et ne le désigne à la dizaine de voyageurs qui allaient et venaient dans le hall. Il n'était pas minuit et la plupart devaient prendre le prochain convoi pour Mozambic Station.

— Ecoutez...

Mais elle avait disparu derrière une cloison en verre martelé où devait siéger son chef. Il crut la voir discuter, regarda autour de lui prêt à foncer vers la sortie pour se perdre dans les quais de la gare de marchandises, là où des traîne-wagons se planquaient.

Mais elle revenait et poussait un vieil indicateur sur la banque en plastique.

— Voici le P60. Vous l'avez hypnotisé ?

— Exactement...

— Comme à la télé ? Les opérations sous hypnose... J'ai vu ça dernièrement.

— Je travaille dans le spectacle.

— Oh, c'est vrai ?

— Je vais donner une représentation à Gull Station, vous comprenez ?

Il trouva difficilement et elle lui expliqua que les sous-Compagnies étaient des particuliers ou des groupes, qui se chargeaient de l'exploitation d'une ligne peu rentable pour le compte d'une Compagnie qui ne voulait pas perdre d'argent avec ce genre de servitude. Mais, Accords de NY Station obligeant, il fallait quand même un minimum d'activité.

— Nous, dans les administrations ferroviaires de l'Australasienne, on n'aime pas trop les sous-Compagnies. Elles ont une sale réputation et ceux qui prennent en fermage une ligne ou un réseau l'exploitent de façon louche. Les trafics sont nombreux. Vous êtes sûr qu'on vous attend à... comment déjà ?

— Gull Station.

— Arnaque Station, non ?

Il sourit et elle lui rendit son sourire. Il se demanda ce qu'elle aurait dit en découvrant le bas de son corps à partir de la taille, juste au-dessus du nombril et jusqu'à mi-cuisses, entièrement recouvert d'une fourrure fauve. Et son pénis en forme de fourreau soyeux, qu'en aurait-elle pensé ?

— Je me méfierai.

— C'est sur cette page... Oh, il vous faut prendre le train pour Mozambic Station, mais descendre ici...

De son ongle teint en blanc elle lui montra un nom :

— Pipes Station ? Compris.

— Ce n'est pas tout. A Pipes Station vous prenez le réseau de... voyons... Voilà, Capricorn Network. Il vous faudra peut-être attendre un train de voyageurs deux jours.

— Il y a des compartiments dans ceux de marchandises ?

Elle grimaça :

— Oui, mais c'est l'enfer. Le froid, la promiscuité. Mais ce que j'en dis... Et puis vous êtes un homme, costaud... Vous vous en tirerez... Le Capricorn passe ici, dans cette Y station qui se nomme Lake Station... Bizarre. L'autre branche du Y c'est le Kerguelen et là-bas, tout au bout, Gull Station... Vous n'êtes pas découragé ?

— Pourquoi ?

— Il n'y a que deux trains de marchandises par semaine avec un demi-wagon de voyageurs et ça vaut un prix fou... Quatre fois le tarif pratiqué chez nous... Quels voleurs !... Avec un peu de chance et si vous avez tout retenu vous y serez dans moins d'une semaine, six jours... J'espère que vous avez un long engagement, ajouta-t-elle perfide.

— Vous en faites pas pour moi.

— Je recopie tout ça ?

— Inutile, j'ai tout enregistré.

Elle secoua la tête comme si elle en doutait et il lui répéta exactement les différentes étapes de ce voyage sans précédent.

— Eh bien, vous, quelle mémoire !... Je comprends que vous soyez dans le spectacle... Dommage que vous ne donniez pas de représentation ici. Ce qu'on s'embête. Juste un night-club et encore pas tous les soirs. Les jeunes n'arrêtent pas de boire de la bière rouge, c'est dégoûtant.

— Si je repasse par ici je vous inviterai à dîner.

— Vous m'oublierez vite. Mais le rapide pour Mozambic ne va pas tarder.

Ainsi avait commencé ce voyage de huit jours. Huit jours et non six, à cause d'une correspondance manquée à Pipes Station, ainsi nommée à cause des immenses réservoirs d'huile de phoque emmagasinée pour alimenter les diesels de la ligne. Il avait dû attendre deux jours une occasion, un transporteur qui revenait à vide après avoir livré son huile.

Lake Station était ainsi nommée à cause du trou à phoques au bord duquel elle s'était installée. C'était un endroit qui agonisait faute d'une chasse raisonnable. On lui expliqua que trop de chasseurs avaient anéanti un troupeau énorme. Déjà le lac en question se rétrécissait. Quand les phoques disparaissaient la banquise se reformait. C'étaient eux qui maintenaient, par leur activité incessante et concertée, le trou ouvert.

— Vous allez où ? lui demanda le chef de poste qui faisait fonction de chef de la police.

— Gull Station.

— Eh bien ! vous avez du courage ! Vous en aurez pour trois jours au moins. Vous avez de quoi vous nourrir ? Vous ne trouverez rien sur le parcours, la plupart des stations sont fermées en cette période. Elles n'ouvrent que pour la pêche aux bancs de poissons qui passent sous la banquise à dates fixes.

— Gull Station c'est quoi ?

— Ils récoltent des plumes de goélands. Du duvet mais aussi de grosses plumes pour récupérer le petit tuyau. Ça se vend bien, paraît-il. Pour différents usages, en musique, en chirurgie. Mais il en faut des millions pour que ça rapporte un peu de fric.

Il acheta des provisions sous forme de poissons et de viande congelés. Pas question d'autre chose comme du pain ou des pousses de soja qui gèleraient dans les wagons ouverts à tous les vents.

C'était vraiment l'enfer, même pour lui un métis de Roux. Ses compagnons de voyage s'enfermaient dans des sortes de housses de plastique, n'en sortant que pour manger et aller aux toilettes. Le demi-wagon était à peine isolé et non chauffé. Jdrien crut qu'il ne tiendrait pas le coup. D'ailleurs un homme mourut la deuxième nuit et on transporta son corps dans le fourgon de queue.

CHAPITRE XVI

Dès qu'il posa le pied à terre deux employés de la station approchèrent, l'air déplaisant. L'un des deux portait une sorte de toque en fourrure avec deux étoiles en argent. Le chef de poste.

— Vous êtes sûr de ne pas vous tromper ? Ici il n'y a rien pour le voyageur. Ce train repart dans une heure et vous feriez mieux de remonter dans le wagon...

— Je viens pour affaires.

Mais ils ricanèrent. Ses fourrures crasseuses, sa barbe naissante et ses longs cheveux le faisaient prendre pour un traîne-wagon. Ils appréhendaient les parasites dans une station qui survivait difficilement.

Elle se composait de quelques wagons alignés sur la ligne principale et le long des voies de garage. En tout il devait y avoir une dizaine de petits quais et le double de wagons. La verrière datait de deux siècles au moins, mais les plaques de verre avaient été remplacées par du plastique, du papier et même par de la vieille peau de phoque en certains endroits. Il y régnait un froid moins rigoureux que dans le train, mais Jdrien aurait aimé se réchauffer.

— Quelles affaires ?

— Le tuyau de plume. Pour les ordinateurs organiques.

Il avait inventé ça tout à trac et ils parurent impressionnés.

— C'est quoi ? Un nouveau système ?

— Le plastique ne convient pas pour certains tubes. C'est pourquoi je suis ici. On peut boire quelque chose quelque part ?

Ils désignèrent un wagon peint en marron mais gardèrent leur méfiance. Ils commandèrent des bières rouges avec de la vodka, ce qui fit frémir Jdrien. La bière rouge était faite avec du blé ou du soja fermenté auquel on ajoutait du sang frais de phoque, dans des proportions plus ou moins grandes. Et la vodka ne pouvait être que de l'alcool extrait du glycogène de foie animal.

— Vous avez du thé avec de la vodka ?... Quelque chose à manger ?

La femme qui gérait la cantine était bizarre et il comprit pourquoi. C'était une métisse de Roux comme lui. Mais comment avait-elle échoué là ?

— Donne-lui à manger, dit le chef de poste qu'elle avait consulté du regard.

Elle lui apporta un ragoût de viande et il apprit que c'était du poussin de goéland.

— On sait les traiter pour les rendre mangeables. C'est pas partout.

Jdrien trouvait ça assez écœurant à cause d'un goût qui n'était pas celui du poisson, mais d'autre chose. Les goélands avalaient n'importe quoi. Mais il mangea et but son thé brûlant à la vodka.

— Ici, il y a trois fabricants de tuyaux, lui dit le chef de poste. Faut les voir tous les trois et traiter avec les trois. Je veux pas d'histoires, moi. D'où venez-vous d'abord ?

— De la Compagnie de la Banquise.

Ils ne réalisèrent pas tout de suite, mais quand il leur montra un billet de dix calories avec le volcan ils comprirent et dès lors leurs soupçons commencèrent de disparaître.

— Vous venez de si loin pour des tuyaux de plume ?

— J'ai vu leur qualité et ça m'a suffi.

Ils voulaient qu'il parle du Président. Ils ne voulaient pas admettre que c'était un gnome. Il dut leur donner des précisions sur la vie dans cette compagnie et, malgré sa haine pour le Kid, fut forcé de vanter ce qui se faisait là-bas. Ils en restaient bouche bée. Seulement la métisse ne cessait de le regarder et il n'aimait pas cet examen prolongé.

— Faudra vous trouver un compartiment... Morah, tu as quelque chose ?

— Un dollar par jour et on en paye trois d'avance, dit-elle.

— Que voulez-vous c'est ainsi, dit le chef de poste qui devait toucher une bonne ristourne.

Son repas terminé il se rendit auprès d'un des fabricants de tuyaux. Cet artisan travaillait en famille avec deux ouvriers. Ils triaient les plumes, les duvets. Ceux qui pouvaient servir tels quels pour des couettes ou des combinaisons à l'ancienne étaient empilés dans des sacs. Les grosses plumes, elles, fournissaient les tuyaux. Ils étaient six à faire sauter les barbes des grandes pennes de remiges avec une dextérité peu commune. Les enfants ramassaient les tuyaux et les nettoyait intérieurement avec de fines aiguilles très longues. Ces gens-là travaillaient comme des fous pour pas grand-chose, peut-être un dollar par jour et encore.

— Regardez ces tuyaux.

Dans cette région, les goélands pullulaient et atteignaient des tailles incroyables. Il pouvait voir des tuyaux de près d'un mètre. Les plus beaux, sinon ils faisaient cinquante centimètres.

Il dit qu'il achèterait des échantillons pour les

emporter. Il regardait à la dérobée un vieux qui ramassait les barbes pour les enfouir dans un sac, se demandant si c'était celui-là qui se faisait appeler Lien Rag.

Il savait comme l'information avait cheminé depuis cette misérable station agonisante. Il avait craint d'avoir été dirigé sur une fausse piste, les Roux aimant raconter des histoires. Pour lui faire plaisir avec le nom de son père ils auraient très bien pu inventer celle-là.

— Allons voir les autres artisans.

Le chef de poste était un véritable petit potentat qui régnait sur ces familles laborieuses et Jdrien comprit que l'homme, prudent au début, se laissait un peu aller. Pour les tuyaux de plume c'est avec lui qu'il faudrait traiter. Tout passait par lui. Depuis la nourriture, les boissons et la récupération des plumes de goélands.

Il s'en faisait un grand massacre et Jdrien découvrit l'énorme tas d'oiseaux congelés en dehors de la station. Il avait cru que c'était une congère en s'approchant.

— Il y a bien cent mille goélands, lui dit le chef de poste qui, il finit par l'apprendre, s'appelait Salava.

— Comment les tuez-vous ?

— Des pièges, d'énormes pièges avec du grain. Un trou dans la glace et une dalle en glace qui bascule, simple, efficace. On creuse des centaines de trous. C'est un travail considérable. Dans le froid.

— Vous avez une équipe ?

— Pas facile de trouver des volontaires. Surtout par ici avec des moins soixante de moyenne. On dit que la température remonte ? Je m'en rends pas compte dans le coin.

CHAPITRE XVII

Le chef de poste et son acolyte l'accompagnèrent sans le lâcher d'une semelle. Même au moment du repas du soir, et il les invita. Une chance qu'il possédât cette grosse liasse de calories. Il ne la montrait pas, expliquait qu'il représentait une grosse société fabriquant des ordinateurs d'un genre nouveau, mais qu'il débutait dans le métier.

— Je peux faire un gros coup avec ces tuyaux, dit-il. J'ai eu tant de mal à vous trouver dans cette région perdue.

Ils le laissèrent aller se coucher. Un compartiment minuscule mais chauffé par un poêle à graisse animale non purifiée. Malgré l'odeur il appréciait la tiédeur de l'endroit. Ces quinze degrés lui suffisaient amplement à lui, métis de Roux.

En plein sommeil, il se sentit secoué et, avec sa lucidité habituelle, crut qu'on revenait pour l'attaquer. Mais une voix rauque prononça quelques sons en roux et il comprit que c'était sa logeuse.

— Morah?

— Parle notre langue.

Elle alluma une chandelle en graisse de phoque.

— Jdrien, n'est-ce pas? Je t'attendais. C'est moi qui ai demandé qu'on répande cette nouvelle.

— Qui es-tu?

— Oh, mon père était Roux et ma mère a eu un jour envie de son gros sexe, je suppose. Elle ne l'a jamais revu, m'a abandonnée et j'ai fini par venir ici. Mais je me sens Femme du Froid. Depuis toujours. Tu es notre Messie.

Elle lui toucha le visage et porta sa main à sa bouche. Un geste de dévotion appartenant aux gens du Chaud, pas à ceux du Froid en général plus sobres dans leurs démonstrations de piété.

— J'ai appris ton histoire depuis le début. Le nom de ta mère, la déesse Jdrou, celui de ton père Lien Rag. J'économise l'argent pour me rendre là-bas au Mausolée de ta mère. Je veux la voir.

— Que sais-tu de mon père ?

— Il y a un vieux qui dit s'appeler ainsi. Dans cette station ça n'étonne personne. Ils ne connaissent rien, sont pires que des bêtes. Ils boivent nuit et jour. Salava est le maître, cruel. Ils nous rançonnent tous, nous empêchent de vivre simplement. Ils nous retiennent prisonniers. Ça rapporte gros, le duvet et les tuyaux.

— Surtout à lui ?

— C'est ça. Et il y a les filles des habitants. Il les veut toutes et même avant qu'elles soient pubères.

— Personne ne se révolte ?

Morah frotta son pouce sur son index replié, un geste bien du Chaud.

— Monnaie, dit-elle, monnaie... Il trouve les acheteurs pour toutes les plumes, il organise la chasse. Les artisans ne peuvent préparer leur marchandise et aller attraper les goélands. Ils en plument un demi-million dans une année.

— Qui les attrape ?

— Une équipe. Salava reçoit les corps en échange. Les vend par wagons entiers.

On en fabriquait des pâtés bon marché en traitant

cette viande coriace et puante, on en nourrissait les élevages de poissons et de porcs.

— Où sont les chasseurs ?

— Sur la banquise, dans des igloos. Ils ne peuvent revenir qu'une fois par semaine et à tour de rôle. Le chef de poste a peur qu'ils s'enfuient. Personne ne peut survivre plus d'un an ou deux dans cet enfer. Il faut travailler dur pour capturer les oiseaux sans trop de frais. Pas question de fusils. Les plombs abîmeraient les plumes. Il y a des milliers de pièges qu'il faut préparer, visiter ensuite sans arrêt. L'équipe tourne continuellement nuit et jour, entasse les oiseaux dans des sacs qu'il faut ensuite traîner jusqu'ici. Il y a les rats, les loups et les éléphants de mer qui attaquent parce qu'ils sentent la viande.

— Cet imposteur, où est-il ?

Elle ne comprenait pas ce mot anglais et en langage roux n'existait pas d'équivalence. Il n'y avait pas d'imposteur chez eux.

— Lien Rag ? Il fait partie de l'équipe.

— Mais il est vieux.

— Oui. Il s'est perdu. Il était saoul le jour où il a débarqué et Salava l'a possédé en lui faisant signer une reconnaissance de dette pour des dégâts qu'il aurait commis, dans son ivresse. C'est faux. Il va en mourir.

— D'où venait-il ?

— C'est un traîne-wagon mais il a dit qu'il n'avait pas toujours été un clochard.

— Tu as vu ses papiers ?

— Il a un passeport.

Soudain elle souffla la bougie et il la sentit qui grelottait :

— Tu n'as rien entendu ?

— Non. Le vent. Cette verrière est toute percée.

— Salava se méfie de toi. Il ne croit pas tellement à ton histoire d'achat de plumes. Tu as de l'argent ?

— Peu, mentit Jdrien.

— Parce qu'il peut te voler et te forcer à travailler sur la banquise, à attraper les oiseaux. Un demi-million par an, deux mille et plus chaque jour. C'est infernal. Il y a des centaines de pièges...

Elle radotait un peu. Quel âge pouvait-elle bien avoir ? Il pensait qu'elle devait boire de cette cochonnerie de bière rouge coupée d'alcool de glycogène.

— Je préfère m'en aller.

— Comment je vais faire avec ce vieillard ?

— Je m'en occuperai. Tu verras. Méfie-toi de Salava, il peut te retenir ici à vie. Et ta vie ne serait pas très longue dans ce cas. Tu résisterais mieux au froid mais le travail est très fatigant.

Elle s'éloigna, referma la porte si doucement qu'il n'entendit rien. Il alla regarder par la petite lucarne qui donnait sur le quai principal. Il n'y avait de lumière que dans le bureau du chef de poste. Ce lumignon le fit frissonner d'angoisse.

Il finit par s'endormir mais fit un cauchemar épouvantable, un million de goélands descendaient du ciel vers lui pour l'ensevelir dans leur masse. Il se réveilla en sursaut, se leva pour regarder au-dehors. Il y avait toujours de la lumière chez Salava. L'homme et son complice buvaient en discutant, faisant de sinistres projets à son encontre.

CHAPITRE XVIII

Durant ces dernières années le poste-frontière entre la Province Panaméricaine de l'Antarctique et la Compagnie de la Banquise avait subi une grande évolution. C'était une ville importante militarisée à outrance. Une partie de la flotte y stationnait en permanence, et tous les moyens sophistiqués veillaient sur le réseau qui s'enfonçait vers le pôle sud. Un réseau très important. Lors de l'invasion des Panaméricains il avait été élargi à cinquante voies par des poseuses géantes, pour permettre aux énormes forteresses sur rails de Lady Diana de rouler vers le nord. Désormais, pour des raisons plus pacifiques, une centaine de convois transitaient chaque jour par Frontier Station.

De l'autre côté il n'y avait rien. Un no man's land de cinquante kilomètres, puis le premier poste panaméricain, modeste en apparence, mais le Président savait que des installations très sophistiquées espionnaient sa Compagnie, que chaque train-cargo voyageant dans sa concession était truffé d'appareils divers. A plusieurs reprises on avait mis sous séquestre des convois entiers, et Lady Diana avait chaque fois dû reconnaître cette violation d'armistice.

Dès son arrivée, le Président visita les centres radars, les enregistreurs de continuité du rail très élaborés qui, désormais, pouvaient repérer à des centaines de kilomètres le tonnage, la vitesse et la largeur d'un convoi. Dans les conditions d'armistice tout convoi exceptionnel occupant plus de quatre voies ne pouvait transiter sans autorisation spéciale. Sinon il risquait d'être immédiatement détruit. La Panaméricaine avait livré par exemple d'énormes centrales thermiques ne pouvant être tractées que sur des wagons plates-formes spéciaux. Chaque fois, les remorqueurs puissants de la Banquise étaient allés prendre livraison de ce matériel dans la capitale de la province, Queen Maud Station, plus communément appelée Q.M.S.T.

— Tout est en ordre, lui dit le grand maître Aiguilleur. Si une invasion nous menace, elle devra être rapide, fantastique, je parle du point de vue du nombre de bâtiments, de la vitesse. Il faudrait paralyser tous nos centres d'écoute.

— Ça s'est déjà produit à Flower Station, dit le Kid.

Lichten ne croyait pas trop à cette histoire. Il estimait que trop d'éléments restaient inexpliqués, que les Rénovateurs possédaient des complices dans la concession. C'était son idée fixe, et si le Président l'avait écouté, il aurait fiché tous les voyageurs de la Compagnie et fait enquêter sur chacun d'eux. Il voyait des Rénovateurs partout. On avait arrêté une dizaine d'illuminés, qui se livraient à des sortes de messes noires, et un petit professeur de physique, médiocre, qui avait fabriqué une sorte de canon à ultra-sons pour s'attaquer au ciel croûteux. Son engin n'avait jamais fonctionné en fait.

— Nous devrions reprendre l'enquête à zéro, fit le grand maître.

Le Président gardait pour lui les révélations de Yeuse sur ce deuxième fils de Lien Rag, Liensun le bien nommé, qui devait maintenant avoir treize ans et les mêmes facultés métapsychiques que son demi-frère Jdrien. Il avait du mal à admettre l'existence de ce jeune garçon. Pourtant si l'on rejetait les accusations non contrôlées du grand maître Aiguilleur contre un complot intérieur, que restait-il sinon l'inexplicable, dont l'utilisation de pouvoirs surnaturels ?

— Nous en reparlerons.

— Nous avons mis le système préconisé en place sur le Viaduc. Mais pour trouver des dispositifs sans électronique ce fut très difficile. Même les locomotives-vapeur vieilles de deux siècles en sont équipées. Il a fallut tout réviser. De même pour les lance-missiles, les plus simples, individuels comme les plus perfectionnés, ceux qui peuvent lancer de grosses roquettes.

Le Kid monta en ascenseur au sommet de la grande tour d'aiguillage hérissée d'antennes paraboliques, de capteurs de toutes natures.

— Le train spécial de Lady Diana se trouve à une centaine de kilomètres, lui annonça le responsable de la chambre de situation. Il roule à soixante-deux kilomètres environ et se compose de dix wagons. D'après nos analyseurs d'infrarouges et de nos bio-capteurs, la suite de la P.-D.G. de la Panaméricaine se composerait de soixante à soixante-dix personnes. La plupart, une cinquantaine, sont armés individuellement. Il y a trois wagons dotés d'un équipement spécial. Celui de tête, devant la motrice nucléaire, est bourré d'instruments de mesure et d'investigations. Au centre il y a un wagon à toit ouvrant qui peut en quelques secondes dévoiler de grosses batteries braquées vers le ciel.

Le Président sursauta et leva la tête vers son interlocuteur qui mesurait un mètre quatre-vingt. Dans cette humanité rabougrie par le froid de trois siècles, c'était un géant, la moyenne se situant plutôt vers le mètre soixante, mais bien des gens n'atteignaient pas le mètre cinquante.

— Répétez.

— Pour le wagon central ?

— Oui, s'impatienta le Président.

— Son toit s'ouvre en quelques secondes. Ce wagon est camouflé en wagon-citerne spécial sphérique comme pour le transport des matières dangereuses. Il s'ouvre en deux et dévoile des batteries de missiles visant le ciel...

— D.C.A. ?

— Oui, monsieur le Président.

Le gnome éclata de rire, à la stupéfaction des assistants pétrifiés d'inquiétude. Seul Lichten comprit la raison de cette hilarité et sourit lui aussi.

— Nous avons les spectres... Voulez-vous les voir ?

Ils apparurent sur un grand écran cathodique et le Président put voir sur toutes les coutures le train spécial de la grosse Lady Diana.

— Le dernier wagon ?

— Un commando de dix-sept hommes à l'armement secret. Il doit aussi y avoir deux draisines de secours à moteur nucléaire également.

— Un ensemble électronique sophistiqué, je suppose ?

— Très, monsieur le Président. Exceptionnel.

Le Président sourit à nouveau et remercia avec une gentillesse dont il n'était pas coutumier. Il retourna dans son propre « spécial » avec son chef d'état-major, ouvrit une bouteille de vieil alcool, de ces bouteilles trouvées dans les fouilles sous-glaciaires et vendues une fortune.

— Lady Diana s'est trahie. Elle vient pour les dirigeables mais ignore que ces gens-là peuvent paralyser ses microprocesseurs.

— Je suis d'accord pour les dirigeables. Les batteries de D.C.A. prouvent qu'elle a eu à subir les attaques de dirigeables. Vous me permettrez d'être plus réservé pour le reste. Les possibilités de la police panaméricaine sont dix fois plus larges que les nôtres. Les Rénovateurs sont traqués et ne pourraient pas, comme pour Flower Station, paralyser tout un district...

— Je n'aime pas vous voir persister dans cette voie, déclara sèchement le Président en lui désignant l'un des deux verres.

— J'en suis désolé mais c'est la seule logique.

— Des gens qui sont capables de construire un appareil de deux cents mètres de long, pouvant soulever cent tonnes, voler à plus de cent cinquante à l'heure avec une grande autonomie sont également capables, sans complicités au sol, de paralyser tout notre système électronique sur un rayon de trente kilomètres... Enfin, Lichten, pour utiliser des complices au sol il faudrait une synchronisation impossible à atteindre, un système de communication inédit, secret. Nous savons que les ondes radio, avec l'émetteur le plus puissant, s'égarent à partir de cinq cents kilomètres.

— Ils peuvent communiquer par les rails... Des relais, je ne sais quoi...

— Vous êtes un têtu.

— Il y a des Rénovateurs dans ce pays. Des farfelus mais aussi des scientifiques. Et d'après mes estimations ces derniers seraient au moins une centaine.

Le Président sirotait son verre d'alcool appelé « cognac » et allumait son écran de télex. Les informations se succédaient sur le train de Lady Diana qui se rapprochait à la même vitesse. Elle serait à l'heure pour le rendez-vous fixé dans le no man's land. Les deux trains s'immobiliseraient sur deux voies parallèles et un couloir transparent serait établi. On avait discuté une semaine pour savoir lequel se rendrait chez l'autre. Le Président ne tenait pas à déambuler devant ces Panaméricains, tous choisis pour leur grande taille. Lady Diana mesurait un mètre soixante-dix et pesait plus de cent kilos. Atteinte d'une crise de goutte elle se déplaçait elle aussi en fauteuil roulant. A cette nouvelle le Président avait éclaté de rire et accepté de faire le premier pas. On discuterait deux heures dans le train panaméricain, puis on irait déjeuner dans le train banquisien. L'accord avait été conclu sur cet agrément.

— Je crois que nous allons partir, dit le Président.
— Votre suite n'est-elle pas trop réduite ?
— Je ne crois pas. Je veux prouver que je n'ai pas besoin de cinquante gardes du corps pour me déplacer.
— Et si les dirigeables intervenaient justement...
— Vous avez tout prévu ?
— Question armement, oui. Nous pourrons tirer, mais question motrice, équipements divers, c'était impossible de faire sans électronique.
— Ça ira très bien.

Avec douceur le « spécial » commença de rouler vers le sud. Le Président s'installa dans son fauteuil, réchauffant son verre d'alcool dans ses petites mains aux gestes précieux. Il savourait cet instant-là. Il allait revoir cette vaincue de la terrible guerre. Depuis, elle le flattait, cherchait à s'en faire un allié contre la Sibérienne qui l'inquiétait à l'ouest de sa concession.

Ils roulaient dans le no man's land et des goélands les accompagnaient en vol rasant, espérant que les employés de ce train videraient les latrines.

Lichten se tenait debout devant la carte de la région, rêvant peut-être de conquête future de cette zone importante au point de vue stratégique et économique.

CHAPITRE XIX

Le Président dirigea son fauteuil d'une main sûre dans le tunnel translucide, entre deux rangées de gardes du corps panaméricains. Il remarqua que tous portaient des pistolets-laser à la ceinture, un nouveau modèle très perfectionné et pas tellement volumineux.

Une méchante surprise l'attendait dans le salon de réception, au centre du wagon. Lady Diana, contrairement à ce qui avait été dit, se tenait debout et il ne voyait aucun fauteuil roulant. « La salope », ce fut ainsi qu'il l'injuria, lui avait joué un tour à sa façon pour l'humilier. Mais elle le regretterait.

Souriant de façon à ne rien trahir il continua d'avancer. Lady Diana fit quelques pas, non sans mal, et il stoppa net pour l'obliger à franchir les quatre mètres qui les séparaient. D'un seul coup il reprit l'avantage car elle lui jeta un sale regard, tituba pour parcourir cette distance, se raccrocha à son bras comme si elle lui manifestait une grande affection.

— Président, quel honneur de vous recevoir chez moi... C'est un grand jour pour nos deux Compagnies et je vous remercie de votre visite.

On apportait un fauteuil, ordinaire, mais elle fut bien aise d'y engloutir son énorme masse. Elle avait encore grossi et ce n'était pas sa robe noire qui la mincissait. Une robe très décolletée sur les épaules énormes, véritables collines de chair blanche. Il détourna les yeux de la vallée étroite des deux seins fortement comprimés.

Une heure plus tard l'un et l'autre avaient oublié tout cela, ces débuts un peu sordides, pour discuter avec passion. Le Kid avait en main d'excellentes photographies prises dans la région ouest de la Panaméricaine.

On y voyait des dirigeables, jusqu'à six.

— Nous n'en avons jamais aperçu plus de cinq.

— Ils en auraient une dizaine. Nous avons vaguement repéré leur base. La Compagnie des Dirigeables. Quel sacrilège ! Quelle honte pour l'humanité ! Exactement ils s'intitulent la Compagnie Internationale des Dirigeables de la Fraternité. Parlons-en, de leur fraternité ! Ils ont détruit deux patrouilleurs, tuant vingt-deux marins. Ils ont attaqué des dépôts de carburants, des stocks de matière première, volé des systèmes complets de radars, des éléments d'électronique, des moteurs légers fonctionnant avec n'importe quel carburant. Ils nous ont aussi dérobé des centrales thermiques et nous craignons qu'ils n'essayent de se procurer une microcentrale nucléaire.

— J'ignorais tout cela. Je suppose que cela ne s'est pas fait en un jour ?

— Non, évidemment, dit-elle avec prudence.

Le Président réfléchit :

— Pour notre part, il y a plus de dix ans que nous avons aperçu le premier dirigeable, mais ce n'était qu'un prototype. Après des années de disparition ils sont revenus en force avec des appareils comme ceux-ci.

Elle avait parlé d'électronique sans sourciller, et il se confirma l'idée qu'elle ignorait tout des pouvoirs exceptionnels de ces Rénovateurs.

— J'ai envoyé des commandos vers leur zone supposée, mais aucun n'est revenu. Il faut emprunter le Network Cancer avec tous les risques que cela comporte, puis le fameux Réseau des Disparus et c'est là que tout se complique. Il y a des trafiquants dangereux, des stations véritables nids de pirates et de bandits. Il faudrait lancer une grande opération militaire avec les moyens nécessaires, mais ce serait donner l'alerte. Les Rénovateurs auraient devant eux plusieurs jours pour faire face. Nous n'avons pas pu équiper toutes les unités en D.C.A. Vous non plus je suppose ?

Le Président secoua la tête avec un calme parfait. Il mentait car toutes les unités disposaient désormais d'une D.C.A., même modeste, et il était ravi d'apprendre l'avance militaire de sa Compagnie sur celle de son vis-à-vis.

— Mais nous les détruirons... Je comptais un peu sur votre Réseau du 160ᵉ pour que nous joignions nos forces mais il paraît stoppé ?

— Nous avons eu des problèmes techniques.

— Les dirigeables peut-être ?

— Egalement.

— Sur le Viaduc aussi ?

— Vous avez des informateurs sur ce sujet ?

— Nous savons, vous comme moi, ce qui ne va pas chez l'autre. Je suppose que vous savez que le Tube, mon fameux tunnel Nord-Sud, a lui aussi ses problèmes et qu'après dix-sept ans de travaux nous ne sommes pas au bout de nos efforts. Les fruits sont longs à venir.

— Question d'idéologie, dit le Président. Nous tirons tout de la glace et de l'océan, dédaignant l'inlandsis. Nous allons de l'avant et ne comptons pas sur le passé pour rendre notre économie prospère.

Lady Diana se renfrogna. Elle détestait qu'on l'accuse de conservatisme économique.

— Les richesses qui dorment sous la glace sont prodigieuses, et lorsque nous commencerons de les exploiter le niveau de vie de nos habitants sera multiplié par trois pour commencer, et par dix d'ici la fin de ce XXIIIIe siècle.

— Si nous passions de l'autre côté ? Nous continuerions une fois à table.

Et c'est là qu'il remporta sa première victoire après l'humiliation du début. Lady Diana dut se servir de son propre fauteuil électrique pour le suivre dans son « spécial ». Sinon on aurait dû la porter. Le Président en fut tout égayé, et lui proposa avec familiarité de faire une course mais elle fit semblant de ne pas entendre.

Le luxe de la table, la finesse des plats la surprirent. Le Président était un raffiné et elle découvrit des mets nouveaux, frais, produits par les installations agricoles de la Compagnie de la Banquise, depuis le foie gras des oies élevées dans des fermes spéciales jusqu'au ris de veau en timbale et le filet en croûte. Un vin rouge agréable était servi durant le repas.

— Nous le faisons venir de Sibérie, le nôtre, dit Lady Diana. Il ne vaut pas celui-ci.

— Dans quelques années nous en exporterons des milliers de bouteilles.

— Si les dirigeables ne détruisent pas vos serres viticoles !

Ils recommencèrent leur discussion sur les Rénovateurs et échangèrent quelques informations. Le Président apprit qu'une partie du Réseau California avait été paralysée par les Rénovateurs.

— Nous pensons qu'ils possèdent des brouilleurs spéciaux pour l'électronique.

Le Président continua de manger sans trahir son intérêt et sa déception.

— Nous sommes en train de trouver la parade en protégeant les systèmes en question avec des feuilles de plomb. Dans le Tube nous avons découvert de

110

grosses quantités de ce métal et nous pensons que ce sera efficace.

— Vous pensez à tout.

Lady Diana lui lança un regard incisif avant d'attaquer sa troisième tranche de filet en croûte.

— Vous savez ce que cette histoire me rappelle ? Je veux parler de la paralysie de mon Réseau California. Vous souvenez-vous de ce jeune enfant qui se trouvait autrefois dans ma Compagnie, comment l'appelez-vous ?...

— Jdrien, le fils de Lien Rag. Il s'y trouvait contraint et forcé à la suite d'un rapt. Si à cette époque j'avais eu l'audience d'aujourd'hui j'aurai porté plainte devant l'Organisation des Accords de N.Y. Station.

Elle sourit avec indulgence :

— C'est du passé... Cet enfant a réussi à quitter mystérieusement ma concession. Il a brouillé, saturé, paralysé les obstacles électroniques, comme la Grande Ecluse du Réseau California. J'ai appris qu'il possédait des facultés mentales malgré son jeune âge. Je n'ai jamais oublié cet incident, et si je suis là c'est pour vous demander si Jdrien ne serait pas le complice plus ou moins consentant de ces pirates en dirigeables.

Le Président sourit à son tour :

— J'ai eu cette même crainte, mais Jdrien ne s'intéresse plus à nous. Il prêche dans les tribus de Roux, dans les zones les plus désolées. Et en même temps il cherche à savoir ce qu'est devenu son père, Lien Rag, disparu depuis dix ans. Et si je suis ici en face de vous c'est précisément pour vous demander si vous avez des renseignements sur Lien Rag.

— Moi, mais pourquoi donc ?

— Parce que vous le haïssiez, parce qu'il devenait un danger de plus en plus menaçant pour votre conception de la Société ferroviaire.

— Voyons, Kid, vous plaisantez.

— Ne m'appelez plus jamais ainsi. Je suis le Président, sinon cette rencontre va s'achever sur-le-champ.

Elle se raidit sous la menace et se demanda si elle allait accepter ce ton agressif de la part d'un avorton.

— Je ne suis pas offensante, c'était de l'amitié... Mais d'accord pour Président.

— Je comptais faire un préalable de cette question sur Lien Rag. Je suis dans une situation délicate car certains pensent que je suis à l'origine de cette disparition.

— Vous savez, on m'accuse de tant de crimes que j'aurais passé mon temps à comploter entre des milliers de gêneurs. Il ne faut pas vous en soucier.

— Pourtant je veux que vous me répondiez. Et que votre déclaration au sujet de Lien Rag figure dans notre procès-verbal final.

— Vous n'y songez pas ?

— Si... J'y tiens.

— Mais ces dirigeables menacent de nous faire disparaître tous et vous pensez à cet aventurier, à ce fou qui se croyait investi d'un mission presque divine.

— Tiens, d'où sortez-vous ça ?

CHAPITRE XX

La rencontre historique se terminait sur un demi-échec et les deux P.-D.G. ne cachaient plus leur déception et leur fatigue. Ils avaient discuté près de huit heures en comptant les deux heures passées dans le « spécial » de Lady Diana. Celle-ci avait trop mangé, trop bu et sa goutte la faisait terriblement souffrir. Vers quatre heures, à l'approche de la nuit, il avait fallu lui faire une piqûre et le Kid en avait profité pour se dégourdir les jambes. Il avait constaté que son train était cerné par des draisines blindées et il était devenu furieux, avait menacé de quitter sur-le-champ cette zone. Lady Diana très affaiblie par la douleur avait dû donner des ordres.

Mais elle n'avait rien dit sur Lien Rag et lui s'était stupidement entêté. A cause de Jdrien surtout. Il souffrait secrètement de l'attitude de ce garçon. Depuis dix ans il ne l'avait jamais revu et chaque jour il pensait à lui, regardait les photos de l'enfant qu'il avait sauvé autrefois, devenant son père adoptif durant de longues années, tandis que le véritable père Lien Rag courait le monde à la poursuite de ses chimères.

— Cette histoire ne me concerne pas.

— Alors tant pis pour les dirigeables, dit-il avec colère, chacun se défendra comme il le pourra.

— Vous faites une énorme erreur politique. Lien Rag, de toute façon, serait devenu également votre ennemi, votre bête noire. Il était condamné par d'autres Compagnies que la mienne. Il vous faut vous résigner à l'admettre. Je sais que vous devez des comptes à son fils, à cette femme qui fut sa compagne, mais songez que la sécurité de votre Compagnie est à ce prix.

— Je reste sur mes positions, je ne suis pas un assassin, je n'utilise pas une famille de tueurs, les Tarphys, pour mettre de l'ordre en dehors de chez moi.

— Je vous en prie, cria-t-elle, arrêtez ou je romps.

Il avait fini par se calmer, surpris de sa fougue. Il ne regrettait pas Lien Rag, n'avait jamais pu avoir pour lui une grande affection. Qui aimait-il d'ailleurs ? Jdrien certainement, mais c'était tout. Sa compagne Glinda était agréable et il n'aurait pas souhaité s'en séparer ou la perdre. Yeuse ? C'était comme une sœur parfois désagréable.

— Essayons d'avoir un résultat même médiocre, avait alors demandé l'énorme femme.

Ils s'étaient promis un échange régulier d'informations sur les Rénovateurs, principalement sur les dirigeables. Le Président avait promis d'entraîner des commandos qui tenteraient de retrouver la base de ces ennemis.

— Si vous pouviez hâter les travaux sur le 160e... je suis prête à vous aider.

— Vous ne pensez pas qu'aux Rénovateurs.

— Mais à qui ?

— Aux Sibériens que vous pourriez également envahir de ce côté par le sud, si je devenais votre allié.

— Songez-y. Ils deviennent dangereux. Ils nous menacent sur la banquise du détroit de Bering. Ils

114

ont désormais une politique d'expansion vers l'est, après la fin de cette guerre désastreuse avec la Transeuropéenne.

Une guerre désastreuse pour les deux Compagnies. Elles s'en relevaient difficilement.

— Les Renovateurs ont dix dirigeables fantastiques et demain peut-être en aligneront-ils trois fois plus avec les techniques, les matériaux qu'ils nous ont dérobés.

Elle finit par s'en aller et il se demanda s'il la reverrait un jour. Quel âge pouvait-elle avoir ? Soixante-dix ans peut-être, et elle paraissait très épuisée. Il regrettait d'avoir fait dévier la conversation sur Lien Rag, mais cela s'était fait à son insu. L'amour qu'il portait à Jdrien entretenait en lui une mystérieuse plaie qui le minait, et il n'avait pu résister à cette chance de ramener vers lui ce garçon devenu un homme.

S'il avait pu le rappeler en lui disant « je sais ce qu'est devenu ton père, comment il est mort, où son cadavre se trouve », il aurait remporté la plus grande victoire de sa vie.

Son train devait s'éloigner le premier vers le nord et il alla regarder par la baie les lumières de l'autre spécial. Les volets d'acier étaient fermés et il ne vit que de petites échappées de lumière.

Son train commençait de rouler et le grand maître Lichten demanda à lui parler. Il avait eu son propre entretien avec le chef d'état-major de Lady Diana et avait certainement des informations à lui communiquer.

— Plus tard, fit répondre le Président.

Il préférait rester dans son fauteuil, avec juste une très faible lampe éclairée dans un coin de son compartiment bureau. Il était fatigué, déçu, avait envie de pleurer sur sa solitude qui n'avait jamais été aussi grande.

Jusqu'à Frontier Station il resta ainsi, puis une fois dans sa concession convoqua Lichten.

CHAPITRE XXI

Lorsqu'il avait découvert son luxueux compartiment cabine, Melkian n'avait pu s'empêcher de
parler de son terrible voyage depuis l'Africania, dans
un wagon de troisième classe très mal chauffé en
compagnie d'immigrants, alors qu'il n'avait pas
grand-chose à manger, économisant son argent pour
survivre à Kaménépolis.

— Installez-vous, nous irons ensuite dîner. Que
préférez-vous, le restaurant gastronomique ou la
petite auberge tranquille ? Les deux sont aussi bien.

— C'est un train de luxe, n'est-ce pas ? Je n'ai
jamais vu rien de tel avec une promenade panorami-
que et cette chaleur presque excessive. Voyez-vous,
chez les Eboueurs de la Vie Eternelle, nous n'avons
rien connu de semblable et nous devions vivre
constamment dans huit, dix degrés.

Un peu plus tard elle lui prit le bras et utilisa
l'ascenseur pour accéder au troisième étage du train
et au grand restaurant.

— Mais je ne suis pas assez convenablement
habillé pour...

— Je vous en prie, ça n'a aucune espèce d'importance.

Leur table était retenue et le maître d'hôtel et deux
garçons s'empressèrent. Ce train rapide était la

vitrine exposition de la Compagnie de la Banquise. Toutes les semaines il quittait Titanpolis pour la Panaméricaine, emportant les personnages les plus célèbres et les plus riches de la planète. Cette folie coûtait une fortune au Trésor de la Compagnie mais faisait partie d'une campagne publicitaire sans égal. Et le slogan principal annonçait : « Bientôt le tour du monde complet grâce au célèbre Viaduc interbaquisien ».

Melkian regardait autour de lui avec timidité et lorsque le maître d'hôtel apporta deux verres pleins de boissons colorées il sursauta.

— Avez-vous choisi ?

— Faites-le pour moi, je vous en prie.

Il se détendit un peu lorsqu'il eut bu son verre d'alcool.

— Vous ne regrettez rien ? R. voulait vous accompagner...

— Je voulais être seule avec vous.

— A Stanley ce sera différent. Le train que nous devrons emprunter n'aura pas cette classe. Est-ce qu'il en existe beaucoup de la sorte ?

— Non. Mais les autres Compagnies vont essayer de rattraper leur retard.

— Il marche quand même très vite.

— Il possède deux machines et une grande autonomie. En Australasienne il est difficile de se ravitailler et tout est prévu. Les péages sont acquittés régulièrement et d'avance pour éviter les petits tracas administratifs.

Il mangeait avec appétit en continuant de regarder autour de lui, découvrit plusieurs jeunes femmes à la poitrine presque nue. Une sorte de gaze ne dissimulait rien de leurs seins.

— Nous allons traverser des régions très dures où des gens n'ont pas mille calories, nourriture et chauffage, par jour.

118

— Je sais, dit-elle.

— Au début les glaces avaient nivelé les chances. Et voyez ce qui arrive aujourd'hui.

Elle aurait pu lui répondre que les glaces n'avaient rien fait de tel. Certains avaient pu emmagasiner de quoi manger et se chauffer, d'autres étaient morts très vite alors que les couches successives de glace s'empilaient.

— Nous serons là-bas d'ici quatre ou cinq jours si tout va bien. Vous devrez jouer un loco-car certainement... Mais je ne sais plus qui possède cette petite concession. Les pirates n'y sont pas restés plus de quelques mois, une année tout au plus. Quelqu'un a mis le grappin sur le reste. C'est toujours ainsi que ça se passe, n'est-ce pas ?

— A Stanley, nous devrions avoir des précisions. Mais il nous faudra prendre certaines précautions.

— Bien. J'essayerai de ne pas commettre d'imprudence.

Il accepta d'aller faire un tour dans la salle de bal où une trentaine de couples dansaient sur de très vieux airs. L'orchestre, installé sur une estrade, se composait d'une douzaine de musiciens. On trouvait un bar dans un angle et ces gens-là s'amusaient fort.

— Il y a une piscine, dit-elle, ça vous dirait demain, un bain ?

— Oh non ! J'ai peur de l'eau, je ne prends jamais que des douches. Il m'est impossible de m'immerger dans une baignoire.

Elle le raccompagna à sa cabine, pénétra dans la sienne. Sa toilette terminée elle s'installa dans sa couchette et étudia les notes prises sur leur itinéraire. Le Président avait donné son accord mais au dernier moment l'avait mise en garde au sujet des Tarphys :

« — Ils ont des informateurs partout. S'ils sont les assassins de Lien Rag, prenez garde. »

Deux jours plus tard ils débarquaient à Stanley

Station et s'installaient dans le grand hôtel près de la gare. On les prenait pour le père et la fille. Elle donna un faux nom, expliqua qu'ils voyageaient pour le plaisir. Elle laissa croire qu'ils étaient panaméricains et comme ils payaient en dollars on les crut. Dès lors elle se sentit plus libre de ses allées et venues. Laissant Melkian à l'hôtel elle se rendit au Bureau des Concessions. Il lui fallait jouer finement pour ne pas donner l'alerte. Les Tarphys, qui habitaient Stanley Station depuis plus d'un siècle, devaient posséder des amis sinon des mouchards dans toutes les administrations.

Elle prétendit que son père et elle s'occupaient de la récupération des très vieux wagons, de ceux qui avaient survécu à la Grande Panique ou avaient été construits, souvent artisanalement, tout de suite après.

— Certaines petites Compagnies en possèdent en effet et seraient heureuses de les échanger contre du matériel plus récent, lui dit un chef de service. L'Australasienne, il y a une trentaine d'années, a essayé d'envoyer à la casse toutes ces voitures trop dangereuses mais la loi n'a jamais été respectée. Je peux vous indiquer un cimetière de wagons non loin de Stanley Station, mais je vous préviens c'est assez dangereux. Des milliers de wagons sont alignés sur des voies de garage en plein air. Malgré tout, des gens y séjournent. Je ne vous dis pas quelles gens. Ils pillent ce qui reste à piller, cassent les vieilles voitures en bois pour se chauffer...

— J'irai y faire un tour... Vous avez une liste de petites Compagnies sur cette ligne secondaire qui, partant d'ici, se dirige vers le sud?

— Un instant.

C'était le moment critique. Depuis dix ans la Compagnie des Eboueurs pouvait être sous surveillance, son nom dans les mémoires de l'ordinateur pouvait être codé de façon à donner l'alarme si quelqu'un demandait des renseignements.

— Voilà votre liste. J'ai coché les noms où vous avez une chance de faire des affaires.

Il lui tendit la facture de recherche et elle donna cent dollars pour trente-deux exigés. Il la remercia comme si c'était naturel.

— On m'avait parlé de Compagnies dont j'ai oublié le nom, je pensais que de les lire ça réveillerait ma mémoire, mais non.

— Oh, ça change tout le temps, sinon tous les mois. Il y a un gros trafic sur les petites concessions et vous savez à qui ça rapporte ? Aux agents concessionnaires qui proposent ces transactions moyennant cinq pour cent et notre Bureau qui reçoit également quelque chose comme six pour cent.

— Comment se fait-il ?

— Il suffit qu'un groupe veuille pratiquer la pêche ou la récolte des algues ou n'importe quoi... Si par hasard ils découvrent un pactole c'est la fortune. Ils revendent pour aller ailleurs.

— Quel pactole ?

— Une source d'eau chaude. C'est rare mais il en existe. Avec un courant chaud vous créez des serres, vous vous chauffez et les thermocouples vous donnent la lumière. Pas plus compliqué que ça. Mais une source chaude c'est si rare que depuis ma naissance on n'en pas encore trouvé d'autres. Il y a les épaves anciennes. Des cargos qui ont dérivé au moment de l'apparition des glaces et qui sont restés coincés. Certains n'ont pas été écrasés mais sont sortis de l'eau pour se retourner sur la banquise. Vers le sud il y a un de ces cargos rempli de charbon. Depuis vingt ans une famille l'exploite. La Cargo Company vous connaissez ? Elle doit faire trente kilomètres carrés. Le charbon les a chauffés pour commencer et maintenant ils l'exploitent de façon plus scientifique, chimiquement, vous comprenez ?

Elle paraissait intéressée et il continuait de parler de ces petites Compagnies et sous-Compagnies, disant que s'il avait eu le temps il aurait volontiers écrit un dictionnaire de ces multiples concessions qui se partageaient la banquise entre l'Afrique et l'Australie, dans le sens est ouest, et le pôle et l'inlandsis asiatique dans l'autre.

— Je ne vois pas la Compagnie Kinson, ni la Middle...

Elle inventait au fur et à mesure et il secouait la tête, pris au dépourvu.

— Celles-là elles doivent dater de plus de trente ans...

— C'est mon père, vous comprenez, il est très vieux et a ces noms en tête. La Compagnie des Eboueurs. Il m'a dit qu'il leur faisait nettoyer des wagons dans le temps.

— Oh, ils ont disparu aussi, ravagés par des pirates en voiliers du rail... Maintenant ça fait partie de, attendez donc... Une Compagnie plus importante.

Il reprit sa liste et suivit les noms avec son index, s'immobilisa sur le septième :

— Voilà, la Transit Company... On y récupère les wagons qui ont déraillé pourvu qu'ils soient pleins de marchandises. Ils font le tri. Possible que vous trouviez votre affaire dans cette Transit Company. Je vous le souhaite.

Pleine d'espoir elle retourna à l'hôtel. Melkian l'attendait dans sa chambre, assez inquiet.

— J'ai l'impression qu'un homme me surveillait dans le salon et j'ai préféré venir me réfugier ici.

CHAPITRE XXII

C'était un train baptisé express mais qui s'arrêtait constamment dans la moindre station, sur les voies de garage comme si le mécanicien avait reçu un pourboire pour laisser passer tous les autres convois. Yeuse et Melkian habitaient le même compartiment vétuste, tendu de velour flétri, chauffé par une bouche d'air tiède. Il y avait un wagon de première classe mais elle avait craint de se faire remarquer.

— On peut faire sa cuisine sur le poêle central, lui annonça le vieillard, et on vend de la nourriture, des boulettes de soja et de viande, du thé et même de l'alcool.

Ils se traînaient vers le sud depuis la vieille au soir et elle se demandait si la Transit Company serait la bonne, enfin. Melkian pensait que les cercueils pouvaient se trouver encore sur place mais elle en doutait. Si les pirates étaient restés des mois, voire une année, ils avaient pu faire fondre chaque sarcophage de glace pour récupérer les vêtements, les bijoux et l'argent.

— Ils avaient une pleine cale de vêtements toutes les semaines et partaient les vendre je ne sais plus où. Ils ont dû se remplir les poches. Ils arrachaient même les dents en or de certains cadavres. Je n'avais jamais vu de dents en or, je ne pensais pas que ça existait encore.

Des usines extrayaient l'or de l'eau de mer dans des proportions infimes par mètre cube, mais il atteignait un tel prix qu'en définitive c'était rentable.

Il alla lui chercher du thé, des galettes qu'elle trouva désagréables car elles laissaient une pellicule de gras dans la bouche mais elle fit mine d'apprécier, réalisant qu'en dix ans elle avait pris l'habitude d'une nourriture plus délicate. La Compagnie de la Banquise connaissait vraiment un bonheur assez inestimable, même si un certain pourcentage de la population souffrait de misère. Dans ces régions perdues tout le monde paraissait mal en point, excepté quelques privilégiés. Elle avait oublié, durant ces dix années, que le reste de la planète était mal chauffé, mal nourri, et n'avait vécu que pour exalter les arts, les belles lettres.

Dans les stations elle voyait des gens faméliques qui rôdaient autour des trains, des stations misérables réchauffées par des calorifères à la graisse animale, et quelle graisse ! Non raffinée, mêlée à de la viande, elle empuantissait l'air. Le tirage se faisait mal et une fumée grasse recouvrait tout d'une pellicule malodorante. On vendait n'importe quoi sur les quais, jusqu'à des sortes de bouillottes brûlantes pour se réchauffer dans sa couchette. Le vendeur affirmait qu'elle durerait au moins cinq heures et qu'à la station suivante elle serait échangée contre une autre. Mais c'était une escroquerie et les plus pauvres qui voyageaient dans ce train se laissaient avoir.

Elle se demandait de quoi on pouvait bien vivre dans ces stations, pourquoi les gens y habitaient encore. Faute d'argent pour le voyage peut-être, les tarifs devenant excessifs quand on achetait un billet sur place. Le contrôleur grimaçait d'ailleurs à la vue

124

d'un billet intercompagnies, essayait de faire payer un supplément. Yeuse connaissait ses droits et ne se laissait pas faire.

Transit Station, qui donnait le nom à la Compagnie, pouvait faire illusion avec ses habitations mobiles confortables du quai principal, mais au-delà c'étaient les constructions anarchiques sous une verrière en très mauvais état. On l'avait réparée avec une matière plastique épaisse très peu transparente, si bien qu'un crépuscule permanent régnait dans cette cité.

Lorsqu'elle descendit du train avec Melkian elle crut qu'il était déjà le soir alors que sa montre indiquait midi.

— C'est sinistre, dit-elle.

— Je connais, murmura le vieillard. Quand j'ai fui ma concession je me suis retrouvé ici pour plusieurs jours.

Jamais elle n'avait osé lui demander comment il avait fait pour survivre de station en station, jusqu'à se retrouver en Africania. Peut-être avait-il participé au pillage des cadavres, peut-être lui avait-il menti depuis le début pour l'entraîner dans cette folle aventure et, qui sait, lui extorquer son argent ou, pire, demander une rançon.

Essayant de se raisonner et de rejeter ses suppositions stupides elle devint soudain silencieuse et inquiète, tandis qu'ils cherchaient un endroit pour avaler quelque chose de chaud avant de se renseigner.

Dans un wagon-gargote Melkian finit par se rendre compte que la jeune femme avait changé d'attitude.

— Vous n'avez plus le courage d'aller jusqu'au bout...

— Je ne sais pas... Je me demande si j'ai bien fait de venir jusqu'ici... Si j'ai bien fait de vous écouter.

Elle le regardait franchement, découvrait qu'il avait les yeux presque verts.

— Ah, fit-il en reposant sa tasse de thé. Vous vous posez des questions sur moi ?

— Regardez autour de vous, fit-elle haletante. Tous ces gens qui sont démunis. Comment avez-vous pu voyager, vous échapper jusqu'en Africania, rester là-bas quelques années et décider de vous rendre auprès de moi. Même en vivant spartiatement il vous a fallu des milliers de dollars.

— Et vous pensez que j'ai pillé les cadavres ?

— Que feriez-vous à ma place ?

— J'ai pillé des cadavres, c'est vrai. J'ai trouvé de l'or, des pièces d'or qui, chacune, représentait des centaines de dollars. Je préparais ma fuite. Mais je ne vous ai pas attirée dans un piège. Je suis venu vous voir de ma seule volonté.

Ils étaient face à face, silencieux. Dans un coin un groupe jouait avec des cartes et se disputait. Ça sentait mauvais et il faisait froid.

— Venez, nous allons essayer de trouver un endroit convenable pour dormir.

— Il n'y en a pas, dit Melkian. Je ne pense pas que la situation se soit améliorée depuis, malgré les années.

Mais au bout du quai principal une famille louait un compartiment de deux couchettes avec le chauffage. Un prix prohibitif.

— Je vous installerai un rideau, dit la femme au regard curieux qui empocha l'argent pour une semaine de loyer. Je peux aussi vous préparer les repas. Pour le bain ce sera un dollar. L'eau chaude est chère ici. L'eau froide aussi. Il nous arrive d'en manquer lorsque l'unité de dessalage et de réchauffage tombe en panne. Vous venez pour des achats ? Il est arrivé de grosses quantités de savon ces jours derniers, j'en ai même rempli mon grenier.

126

Elle désignait le faux plafond au-dessus de leur tête.

— Un train qui a déraillé sur le Grand Réseau plus au nord, il a fallu nettoyer les voies en vitesse. Le froid l'a fait éclater en petits morceaux mais c'est du bon savon, vous savez. Il mousse bien. Mon fils et mon mari travaillent au tri des marchandises. Je peux vous avoir tout ce que vous voulez. Il y a des magasins énormes et ils ont droit à la marchandise. Le salaire, lui, n'est pas gras.

— Vous étiez là il y a dix ans ?

— Bien sûr que j'étais là. J'y suis depuis ma naissance. A cette époque, y avait encore des docteurs et on pouvait naître ici, maintenant faut prévoir bien à l'avance, filer à Stanley dès le huitième mois.

— Il n'y a plus de médecin, fit Yeuse consternée.

— Si, un, mais il boit. Pourquoi vous posez des questions ?

— Vous vous souvenez de l'annexion de la Compagnie des Eboueurs alors ?

— Y a jamais eu dix ans, c'est même assez récent, trois ans.

Elle les regarda avec méfiance :

— Ils vous intéressent ces monstres ? Vous savez ce qu'on a trouvé dans leur station, vous voulez le savoir ? Des milliers de cadavres oui, des milliers. Il a fallu nettoyer tout ça et personne ne voulait. Même que la paye était élevée. Il fallait placer les cadavres dans des wagons.

Elle secoua la tête.

— Je ne devrais pas parler de ça. Déjà qu'on n'a pas bonne réputation, nous de la Transit, avec toutes ces marchandises récupérées... Faut bien quelqu'un pour nettoyer les réseaux quand un train déraille, non ?

— Ces cadavres, que sont-ils devenus ?

— On a fait venir des types de loin, pas des Nègres

mais des gens avec une drôle de couleur. Comment dire, marron quoi. Eux ont accepté de toucher les cadavres, de les empiler dans les wagons pour pas cher... Paraît qu'on devait les envoyer je ne sais où... Enfin loin, quoi.

— Savez-vous où ?

— Oh, je ne retiens jamais les noms. Mais on a manqué de wagons. Pourtant on les empilait ensuite sur les plates-formes mais quand même... Des centaines de wagons. Il aurait fallu former combien de trains, hein, je vous le demande. Avec quelles locos, quelle huile pour les faire marcher, et pour gagner combien ?

Yeuse se sentait mal, se souvenait que le Président possédait depuis toujours une toute petite Compagnie, la S.N.O.W. Compagnie, qui s'était spécialisée dans le transport des cadavres retrouvés dans l'ancienne contrée qui s'appelait l'Inde. Des millions de cadavres vendus à l'Africania et à la Panaméricaine pour brûler dans des centrales électriques. Est-ce que par hasard et indirectement il avait sur la conscience le transport du corps de Lien, de Leouan et d'Harl Mern ?

— Alors, on a tout laissé tomber.

— Comment ça ? demanda Melkian.

— Les cadavres sont toujours là-bas, de même que les wagons. Bon sang si vous croyez que je suis allée vérifier, risque pas, c'est sinistre là-bas, c'est hanté. On dit que les âmes de tous ces morts occupent la station à moitié démolie par les ouragans. On dit même qu'un jour ils se réveilleront tous pour venir nous assaillir, une nuit de tempête, quand nous serons glacés d'effroi.

Yeuse pensa qu'elle n'avait pas toute sa tête mais la remercia. Que pouvait-elle faire ? Examiner des milliers de cadavres dans cet immense cimetière abandonné ?

CHAPITRE XXIII

Il lui était difficile de lire dans ces esprits confus ravagés par le méchant alcool de glycogène. Même le chef de poste, Salava, ne remuait que des lambeaux informes de pensées, mais toutes tournaient autour de l'argent et du corps des très jeunes filles. L'homme était riche, entassait des milliers de billets dans diverses cachettes et Jdrien aurait pu finir par les découvrir. Il aurait suffi d'inquiéter mentalement le petit dictateur, le harceler avec des visions de voleurs inconnus pour le voir se précipiter vers son trésor réparti en divers endroits ; mais Jdrien s'en moquait.

Depuis le matin, à l'autre bout de la petite station, il examinait l'énorme tas de goélands congelés, essayait de capter la pensée de la petite troupe des chasseurs isolés sur la banquise. Une voie secondaire cahotait sur la banquise irrégulière, disparaissait parmi des entassements de congères.

Il sentit venir Salava à la bouffée de haine pure qui envahit son cerveau en éveil. L'ivrogne ne supportait plus sa présence dans la station, préparait un sale coup. Jdrien parla avant qu'il ne soit proche :

— Et le guano ? Des millions de goélands, m'avez-vous dit ? Des centaines de milliers de tonnes de guano ? Peut-être une fortune, un gisement.

Stupéfait Salava, qui avait cru le surprendre, s'était

immobilisé. Son second le suivait, portant un fusil ancien à canon très court.

— Il faudrait des moyens considérables. C'est sûr qu'il y a de l'argent à gagner. Depuis si longtemps qu'il s'entasse, ce guano, un gisement de plusieurs kilomètres de côté qui, avec le temps et la fermentation, a fait fondre la banquise, s'est enfoncé sur des mètres. Peut-être trente, peut-être cinquante. Pour nicher les oiseaux trouvent la chaleur nécessaire mais il y a des zones abandonnées. Une exploitation mécanique avec des loco-pelles.

— Ma société pourrait s'y intéresser, vous verser des royalties. Il faudrait que je la prévienne.

— Un message mettra dix jours pour atteindre la Compagnie de la Banquise, autant pour revenir. Vous n'allez pas attendre tout ce temps dans un endroit pareil. Vous n'avez pas l'habitude de cette misère. Vous souffririez énormément, tomberiez malade.

— Des millions de mètres cubes... On pourrait vous donner cent mille dollars pour commencer, mais je dois voir de mes yeux ce gisement, le photographier. Ma société ne s'engagera pas ainsi sans preuves. Je dois constituer un dossier, rapporter des échantillons.

— De la merde d'oiseau ! s'esclaffa le subordonné.

— Arrête, Huco.

C'était la première fois que Jdrien entendait le nom du porte-flingue.

— Vous pourriez me conduire là-bas ?

— Cent mille dollars pour commencer, murmura Salava. Je n'arrive pas à y croire. Vous me racontez une histoire. Je ne sais pas pourquoi, mais vous me racontez une histoire à dormir debout. Ici c'est trop loin, trop inhumain. Vous savez à combien peuvent souffler les vents ?

— Je sais, oui. Et deux jours sur trois en

moyenne. Justement on pourrait installer des aéro-turbines. Pour l'électricité.

Le chef de poste cracha avec colère :

— Non, non, je n'y croirai jamais. Le pauvre Salava avec des dollars pleins les poches et Huco pareil ? Non, vous mentez, vous vous donnez de l'importance. Ici c'est une sous-Compagnie, c'est-à-dire rien. Je ne sais même pas à qui elle appartient, qui est le grand patron. C'est tellement compliqué ces consortiums, ces ententes. Une grosse Compagnie ne va pas se laisser subtiliser une telle fortune, hein.

— On peut agir discrètement, remonter l'imbroglio...

— Quoi ?

— On peut découvrir qui dirige, racheter la sous-Compagnie pour rien. C'est un poids pour le groupe financier très certainement puisqu'il faut assurer un minimum de trafic. Les plumes ne rapportent pas gros en prélèvements obligatoires.

— Pas lourd, non.

— Nous pourrions régler tout ça discrètement. Par retour de courrier je pourrais avoir une lettre de change que vous iriez toucher à Lake Station par exemple.

— Non, plus loin, à Pipes Station. Je n'y suis pas connu. De combien cette lettre de change ?

— Dix mille ?

— Non, vingt mille. Il y a Huco. Nous partagerons en frères.

L'homme au fusil sourit. Il y croyait, alors que Jdrien lisait dans le cerveau de Salava que jamais il ne partagerait.

— Sûr que la sous-Compagnie ne vaut pas grand-chose mais si vous faites des propositions les patrons auront des soupçons et viendront voir dans le coin.

— Je dois aller voir ce gisement. Vous avez bien une draisine de disponible, non ?

— Huco, la draisine ?

— Il faut garnir le foyer, attendre que la pression monte.

— Qu'attends-tu, feignant ? Galope là-bas, lance le foyer et remplis la chaudière avec de l'eau déjà chaude. Ça avancera la mise sous pression.

Il arracha le fusil des mains de son adjoint qui se mit à courir. Jdrien désignait les milliers de cadavres de goélands entassés dehors :

— Vous pourriez utiliser les viscères pour entretenir des digesteurs organiques, fabriquer du méthane qui chaufferait la station, vous donnerait de l'électricité.

— C'est trop cher, trop compliqué. Je ne vais pas passer ma vie ici. Vous croyez vraiment qu'ils enverront vingt mille dollars.

— Peut-être quinze mille seulement. Mais il faut que j'envoie les photos, les échantillons.

— J'ai un vieil appareil.

— On pourrait y aller aujourd'hui ?

— Non, j'ai un convoi qui vient du sud. Il faut que j'attelle dix wagons de plumes et de bidoche d'oiseaux. C'est pas rien vous savez. Tout à la main et les mécaniciens qui ne veulent pas aider, qui se marrent dans leur cabine bien chauffée tandis qu'on s'escrime.

— Huco viendrait...

— J'ai besoin de lui... Je vous trouverai quelqu'un. Ou alors attendez demain.

Jdrien n'osait trop y croire et pourtant il lisait dans l'esprit de cet homme qu'il était accroché sérieusement. La cupidité noyait ses méfiances.

— Pas avant six heures. La chaudière ne sera jamais sous pression avant.

C'était une drôle de machine. Un chariot sur roues avec une machine à vapeur posée dessus. Une cheminée très haute, grêle, percée de trous d'usure.

Une bielle énorme, unique, transformait le mouvement rectiligne en mouvement rotatif, entraînait un volant d'un mètre cinquante de diamètre. Une courroie de cuir transmettait le mouvement aux roues avant de la draisine. Un système rustique vieux de plusieurs siècles certainement. Malgré le feu d'enfer provoqué par des blocs de graisse brute jetés dans l'âtre, la pression ne montait pas.

— La courroie est bien usée.

— Ouais, dit Salava, elle peut péter. Mais on n'a rien pour la remplacer.

Lorsqu'il alla manger chez Morah, la demi-Rousse le mit en garde :

— Il t'envoie vers les esclaves de la banquise... Tu risques d'y rester. Il a besoin de trappeurs pour les oiseaux. Je me fais du souci pour toi, et dans le coin il n'y a pas une seule tribu d'Hommes du Froid pour te venir en aide.

— Ne t'inquiète pas, lui dit Jdrien. Je reviendrai. Il veut gagner de l'argent, beaucoup d'argent.

Finalement ce fut Huco qui l'accompagna, Salava ayant trouvé deux hommes qui l'aideraient à accrocher les wagons. Ils quittèrent la station vers deux heures trente. Il ne restait que deux heures de jour et Huco affirmait que c'était suffisant pour faire l'aller retour.

Au-delà de l'amoncellement de congères on ne voyait plus la station derrière, et devant c'était comme si la ligne d'horizon était à portée de main.

— Vous allez bientôt voir les oiseaux, dit Huco. Ce sont eux là-bas. En nuages épais.

CHAPITRE XXIV

Le Président voyagea de nuit pour inspecter les installations de surveillance mises en place sur le Viaduc. On avait signalé une formation de quatre dirigeables dans le nord du pays vers midi. Les appareils volaient vers le sud-est, c'est-à-dire vers le kilomètre 5034 du gigantesque ouvrage d'art. D'après les calculs des observateurs il faudrait à cette formation au moins vingt-quatre heures pour atteindre l'objectif, et le Président avait largement le temps de se trouver sur place avec les commandos spéciaux de Lichten.

Les lance-missiles de la D.C.A. se trouvaient désormais montés sur de vieux wagons en bois, tirés par des locomotives à vapeur d'un très ancien modèle dans lesquelles on avait doublé tous les systèmes électroniques par des commandes manuelles. Les radars, les contrôleurs de continuité, les sonars étaient toujours en fonction, mais en cas de paralysie de ces instruments le train D.C.A. pourrait continuer à rouler.

— L'alerte générale est donnée, lui dit un officier aiguilleur. Sur tout le réseau nul n'a le droit de circuler sur les lignes dites prioritaires.

— Qu'a-t-on dit aux colons pour ne pas les effrayer ?

— Que nous allions procéder aux essais d'un matériel nouveau. De toute façon ils disposent de voies lentes et s'en contenteront.

— Rien du côté radars ?

— Non, Président. Il faudrait que ces... dirigeables soient à moins de cinq cents kilomètres.

Le Président remonta dans sa loco-fusée et inspecta ainsi toutes les défenses, ce qui lui prit la nuit entière. Lorsqu'il arriva bien avant l'aube au terminus, le grand maître Lichten l'attendait dans son train de campagne et fit servir le petit déjeuner.

— Je suis très satisfait, dit le Président. J'ai visité les cinq principaux centres de défense et je n'ai rien relevé de suspect. Toutes mes instructions ont été suivies.

— Nous pensons qu'ils ne seront pas là avant midi. D'après les renseignements reçus ils avaient cinq mille kilomètres à parcourir pour arriver au-dessus de nous. Cela représente plus de vingt-quatre heures de route, et je ne pense pas qu'ils maintiennent la vitesse de deux cents kilomètres à l'heure de façon constante. Pour économiser l'huile ils doivent la réduire à cent cinquante.

— Vous pensez qu'à la nuit ils ne seraient pas sur les écrans radars ?

— Je ne sais pas, mais je parierais que non. Ils ralentiront encore pour attaquer demain à l'aube.

Le Président avala un grand bol de café. Désormais on en faisait de l'excellent, en grillant des graines d'orge selon un procédé spécial et en rajoutant un parfum synthétique. Il y avait du véritable café importé de Panaméricaine et d'Africania, mais à un prix prohibitif. La compagnie Africania, atteinte par le refroidissement général et les glaces plus de cinq ans après l'Europe du Nord, avait pu préparer dans un certain calme la survie des populations. Très vite les Etats avaient disparu pour laisser la place à un Comité africain qui, constatant que grâce aux vieilles machines à vapeur, des gens réussissaient à survivre dans les zones nord, avait programmé sur cette base la lutte contre le froid. On avait entre autres sauvé des milliers de plantes nécessaires à la vie dont les caféiers.

Il reprit du poisson fumé qu'il arrosa de crème aigre et se coupa des tranches de pain bis. Soudain il regarda Lichten.

— S'ils attaquent de nuit ?

— Non. Il leur faudrait des projecteurs énormes.

— Pourquoi pas. En avons-nous ?

Le grand maître parut embarrassé :

— En avons-nous, oui ou non ?

— Très peu... Des phares orientables.

— Incapables de localiser un dirigeable à mille mètres d'altitude ?

— Ils n'ont certes pas une telle portée...

— Il nous faut des projecteurs.

— Ce sont des appareils énormes sur nos unités de combat en attente à la frontière sud. Vous avez pu les voir l'autre jour, lors de votre rencontre avec Lady Diana.

— Il faut les faire venir. Avec des loco-fusées. Nous en avons en assez grand nombre. Il y a aussi le second Grand Banquisien qui a dû arriver cette nuit de Panaméricaine. Il faut prendre ses motrices et les atteler à ces wagons projecteurs. Avec un seul wagon, une motrice peut foncer à quatre cents kilomètres heure, être ici dans la soirée.

— Président... Ces projecteurs sont tous électroniques.

Le Gnome resta silencieux, tripota son poisson dans son assiette, descendit de sa chaise et alla se poster devant un hublot donnant sur le nord de la banquise.

— Tous électroniques ?

136

— Oui, Président. On peut trouver des phares à moyenne portée sur le chantier.

— C'est-à-dire ?

— Deux cents mètres.

— Qu'on les récupère et qu'on les distribue à toutes les unités échelonnées sur le Viaduc. On ne sait pas où se produira l'attaque.

— Président je suis désolé. J'aurais dû songer à une attaque de nuit. Mais j'ignore tout de ces dirigeables.

Il respira à fond pour se donner du courage :

— On devrait étudier plus sérieusement leurs possibilités. Je sais que ce serait contrevenir aux instructions des Accords de N.Y. Station, mais si nous voulons les combattre il faut les connaître.

— Ne vous excusez pas. J'aurais dû penser à ces projecteurs. Je suis le Président et je dois réfléchir à tous les problèmes que posent ces Rénovateurs.

— Je vais donner des ordres.

Le Président resta un moment devant le hublot. Sur la banquise on apercevait des oiseaux et surtout quelques baleines qui paressaient, soufflant de la vapeur par leurs évents. Des oiseaux étaient juchés sur leurs masses énormes pour piquer les parasites marins, crustacés et coquillages qui s'agrippaient à cette peau rugueuse.

— Nous aurons trente à quarante phares de moyenne portée.

— Laissez-en vingt ici. Distribuez le reste.

— Vingt ?

— Ils viendront ici, j'en suis sûr. Faites quatre batteries de cinq phares alimentés par des groupes électrogènes les plus simples possible.

— Il y a aussi des batteries en grand nombre.

— Parfait. Il faut surprendre ces gens-là alors qu'ils pensent nous surprendre.

Lichten resta debout devant le Gnome puis soudain parla d'une voix émue :

— Président... Tous mes collaborateurs, qu'ils soient gradés ou non, m'ont fait part de leur satisfaction de vous voir ici avec nous en cette heure cruciale. Ils apprécient hautement que vous soyez venu.

Le Président hocha la tête et resta à regarder la banquise. Il pensait à ces dirigeables qui venaient vers lui pour détruire son grand œuvre, ce Viaduc auquel il avait sacrifié près de quinze ans de sa vie. Et si parmi les équipages de ces aérostats se trouvait Jdrien ? Le Président ne croyait pas tellement à l'existence d'un deuxième fils de Lien Rag, surtout à un deuxième fils aussi doué que le premier de pouvoirs exceptionnels.

Jdrien pouvait, dans un moment de haine aveugle, s'être proposé aux Rénovateurs du Soleil pour accomplir avec eux une partie de leur travail de sabotage de la Société ferroviaire. Le Peuple du Froid détestait le rail autant que les Rénovateurs, seulement ces derniers souhaitaient le retour du soleil et les autres la persistance des glaces. Un jour ou l'autre les deux groupes s'affronteraient.

En attendant, lorsqu'il donnerait l'ordre de tirer sur les aéronefs, il condamnerait peut-être Jdrien à mort. Jdrien son fils adoptif, le seul être qui fasse battre son cœur.

— Voulez-vous voir nos installations ici ? demanda Lichten. Vous ne les avez pas encore inspectées et mes hommes seront heureux de vous voir.

— Allons-y, dit le Président.

— Pour l'instant on n'a encore aucun écho radar.

CHAPITRE XXV

Personne ne voulait les conduire dans l'ancienne concession des Eboueurs de la Vie Eternelle, dans l'immense cimetière abandonné dans la station en ruine. Et ils ne trouvaient pas de véhicule à louer. Rien, sinon une sorte de vieux wagon déglingué fonctionnant à la vapeur, mais dont la chaudière était éteinte depuis des années. Melkian, qui s'y connaissait un peu, lui avait déconseillé un tel achat et Yeuse l'avait très mal pris, l'accusant de retarder leur départ pour le cimetière dans un but non avoué.

— Vous avez peur des fantômes, de vos victimes ?

— Yeuse, je vous en prie.

Ils se disputaient dans le petit compartiment exigu loué à cette femme étrange, trop curieuse, trop impressionnable aussi. Le vieillard finit par sortir pour errer sur les quais glacés de Transit Station.

Yeuse s'allongea sur la banquette, fumant un cigare euphorisant, songeant à Kaménépolis, à sa jolie maison mobile si confortable, à R si gentil, si prévenant. Le romancier était un mari exceptionnel, même s'il se révélait amant assez décevant. Elle ne pouvait oublier Lien Rag ni les autres. Parfois elle se laissait tenter par un jeune artiste, un danseur, un comédien. Discrètement, sans jamais accepter deux fois un rendez-vous.

Elle pensait aussi à Jdrien avec honte. L'enfant la désirait depuis toujours. Très tôt même, puisque son origine rousse le rendait pubère bien avant les autres enfants. Et il s'était parfois imposé à son corps par la pensée, dans des attitudes d'amant expérimenté. Il avait été jaloux de son père Lien Rag, au point d'essayer de substituer sa propre image quand son père faisait l'amour avec elle. Choquée dans les premiers temps, il lui arrivait par la suite d'accroître son plaisir par cette dualité équivoque.

Leur hôtesse la guettait et se précipita lorsqu'elle sortit pour aller à la recherche de Melkian et faire la paix avec lui :

— On dit que vous cherchez un loco-car ?

— Oui, dit Yeuse pleine d'espoir.

— Pour aller visiter ces morts ? Vous travaillez pour une télévision, un journal, une agence de presse ?

— Si vous voulez... Je fais des recherches sur cette secte des Eboueurs.

La femme mit un doigt sur sa bouche :

— Taisez-vous, ça porte malheur. Il y en a ici quelques-uns qui continuent à y croire...

— Vous avez un véhicule ?

— Mon fils pourrait vous en trouver un. Une draisine diesel électrique. Il y en avait un lot dans un train en détresse voici deux ans. Une centaine. La plupart, intactes, ont été revendues, mais mon fils et mon mari en ont récupéré une et se sont amusés avec des copains à la réparer. Elle est prête, terminée... Il manque de l'argent pour acheter une pièce.

— Combien ?

— Deux cents dollars.

Elle faillit les donner puis réfléchit.

— Il faut que j'en parle à mon père.

La femme se pinça :

— Votre père vraiment ?

140

Yeuse sortit et chercha Melkian pendant deux heures lorsque, prise d'un pressentiment, elle se précipita dans la salle d'attente des troisièmes. Une foule hétéroclite campait dans cet endroit vaguement chauffé. Certains groupes humains devaient même y vivre depuis des jours. Quelques malins y tenaient boutique, buvette et vente de nourriture détestable. Melkian était au fond, assis contre la cloison, les yeux fermés. Elle s'agenouilla devant lui :

— Vous partiez ?

— Je ne sais pas. Vous n'avez plus confiance en moi.

— Venez. On va aller manger quelque chose de bon. Mais pas ici. A la cafétéria des Aiguilleurs. On peut y accéder en payant un supplément.

— Je pensais trouver un moyen de transport, mais les convois traversent l'ancienne station sans s'arrêter. Ils accélérèrent même leur vitesse. Il paraît qu'on voit les cadavres tout autour, des tas de cadavres, c'est impressionnant.

— Vous pensez que pour trouver celui de Lien Rag et de ses amis il faudrait des années ?

— J'essaye de me souvenir de détails. Ils étaient dans un ensemble de wagons vétustes... Je me demande si les pirates ont pu les atteindre... Si vous aviez vu ça, des centaines de wagons tassés sur des voies de garage... Non ce n'était pas commode pour aller chercher les derniers...

— Vous pensez qu'ils y seraient toujours ?

— Dans un vieux wagon qui porte des caractères bizarres... Comme ceux-ci :

Il dessina sur la poussière grasse du sol les signes que voici : D, I-O, UU

— Mais, dit Yeuse, ce sont des caractères cyrilliques... Utilisés en Sibérienne.

— C'est ça... On me l'avait expliqué. De vieux wagons d'autrefois, d'avant les Glaces.

— Venant d'un pays appelé Russie ou U.R.S.S. Lien Rag était dans l'un de ces wagons ?

— Il y en avait une rame de vingt, je crois.

— Et vous pensez que...

— Non, mais c'est possible.

Il accepta de la suivre dans la cafétéria des Aiguilleurs. Visiblement ces derniers faisaient bande à part dans cette misérable station, s'efforçaient de montrer leur supériorité.

— Je les déteste, dit Melkian. Un jour ils gouverneront la planète si on n'y prend garde. Leur uniforme est sinistre et ils ont la même morgue, que ce soit ici ou en Africania. Là-bas ils ont beaucoup de pouvoir. Cette Compagnie est plus complexe qu'on ne croit et des groupes se font une lutte sourde pour le pouvoir.

Elle lui expliqua que leur hôtesse proposait un loco-car diesel électrique.

— J'ai hésité. Deux cents dollars...

— Il faut voir. Nous avons besoin d'un véhicule bien isolé du froid, avec des soutes importantes, pour l'huile et aussi pour les provisions.

— Ça peut durer longtemps ?

— Nous devrons revenir tous les quinze jours pour nous ravitailler ici.

— Tous les quinze jours.

— Pour atteindre ces fameux wagons avec ces lettres bizarres, il faudra travailler, dégager les corps qui encombrent les voies. Il y a aussi des wagons éventrés à coups de loco-bull par les pirates.

— Ça peut durer des mois, murmura Yeuse. Le Président a cru que mon absence ne dépasserait pas un mois.

— Vous pourrez me laisser là-bas. Je ne crains ni la solitude, ni les morts. Si j'ai ce loco-car et des provisions, je finirai par trouver les corps.

— Je ne sais pas ce que je vais faire. Il faut que

j'envoie un message radio aujourd'hui même pour que le Président le reçoive dans cinq ou six jours.

— Vous allez attirer l'attention. Un tel message se paye très cher et les gens d'ici ne sont pas riches.

— Par l'interposte fédérale ce serait un mois de délai. Et je ne suis pas sûre que le message arrivera.

— Il faudrait voir ce loco-car d'abord.

— C'est-à-dire payer deux cents dollars à cette horrible femme.

— Non, une fois que nous aurons vu.

Yeuse prit la vieille main aux veines apparentes.

— Vous me pardonnez?

— Oh, c'est inutile, je vous comprends très bien. Il n'y a pas à vous rendre malade pour ça.

Il regarda son assiette :

— C'est appétissant tout ça. Aussi bien qu'à Kaménépolis.

Elle soupira. Sa vie, désormais, c'était cette ville aux coupoles gothiques, c'était l'Académie des Arts et Lettres. Pourquoi venir à la recherche d'un passé révolu, vouloir ressusciter les morts? Quelle certitude voulait-elle et pour quelles raisons mal discernées, équivoques?

— Ou alors retournons dans une station plus importante où nous trouverons autant de loco-cars que nous le désirons, proposa Melkian.

CHAPITRE XXVI

A minuit le Président fut réveillé par sa compagne Glinda qui l'accompagnait partout, avec une telle discrétion que bien des personnes ignoraient souvent sa présence dans le train officiel ou la loco-fusée. Lors de la conférence avec la Panaméricaine elle était dans le train spécial, passant totalement inaperçue.

— On te demande, dit-elle simplement.

Elle ne s'était pas couchée, veillant sur son sommeil en cousant des vêtements. Elle s'habillait ainsi elle-même, sans jamais acheter quoi que ce soit dans les boutiques de mode installées dans Titanpolis.

Lichten, en uniforme de combat, se tenait dans le salon.

— Le poste 4 a deux échos radar.

— Poste quatre. Mille kilomètres d'ici.

— Deux échos fixes. Comme si les aéronefs se tenaient immobiles à trois cents kilomètres à l'est.

Le Président passa dans le train de commandement et put consulter la carte de cette zone.

— Ils n'attaqueraient pas de nuit ?

— C'est ce que je me dis. Mais deux échos seulement. Ils doivent attendre le regroupement. Les deux autres dirigeables ont dû se retarder.

— Où se ravitailler. Rien sur les téléscripteurs ?

— Non, aucune station phoquière ou rookerie attaquée pour le moment.

Le Président accepta du café et l'attente commença dans le P.C. du grand maître. Le poste 4 maintenait ses affirmations. Les deux échos restaient sans changement.

— Je me demande, dit le Kid, s'ils n'ont pas constitué un dépôt secret de carburant sur la banquise, en dehors de tous réseaux, dans cette immensité. J'ai fait un calcul. En quelques mois ils ont volé deux cents tonnes de carburant, et si je fais le calcul de leur consommation dans différents raids y compris la Panaméricaine, je suis certain qu'il leur reste une centaine de tonnes quelque part.

Lichten approuva :

— Ils ont marché très lentement, à l'économie. Il est certain qu'ils peuvent posséder des réservoirs secrets. N'importe où, et même une installation complète près d'une rookerie ou d'un trou à phoques dans cette zone inconnue. Il suffit de quelques chaudières. Quand on sait qu'un phoque peut donner jusqu'à mille litres... Quelques coups de fusil et le ravitaillement est assuré. Stockage sans difficulté en laissant geler l'huile pour la liquéfier à bord.

Le Président rêvait devant la carte immense où son Viaduc n'était qu'une sorte de trait noir avec des bourgeons régulièrement répartis, les futurs embranchements pour les réseaux nord et sud. Plus tard ces réseaux permettraient un quadrillage serré de la banquise. Aucun endroit ne serait plus inconnu, aucun point à plus de cinquante kilomètres d'une voie ferrée.

— Nous avons un écho radar, dit l'opérateur de la salle d'opération.

Le Président se leva pour voir. Un seul écho en effet.

— Il arrive vers nous, lentement.

— Qu'est-ce que ça veut dire ? murmura Lichten.

L'attaque du Terminus au Km 5034 ne manquait pas de justifications. Les Rénovateurs pouvaient espérer un butin prodigieux en instruments et matériel sophistiqué. De quoi remplir leur soute.

— Ils se regroupent mal. Ou alors ils vont attaquer en deux points différents.

— Ce qui signifierait, dit Lichten, qu'ils ont eu vent de nos préparatifs ? Quand je vous le disais que les Rénovateurs de cette Compagnie les préviennent. Je sais, le problème radio l'empêche. Et s'il y avait un relais réémetteur quelque part sur la banquise, un ballon qui le soutiendrait à deux ou trois mille mètres ? Un ballon captif d'un câble très long et très solide capable de résister aux tempêtes.

— Un relais, murmura le Président, comment n'y avons-nous pas songé plus tôt. Vous avez des noms, grand maître ?

— Oui. Dont celui d'un animateur de télévision. Il peut faire passer des messages secrets.

Le poste 4 avait désormais trois échos dans son rayon de détection.

— Trois là-bas, un ici. Que faisons-nous ?

— Rien. Le poste 4 pourra intervenir très vite.

Mais les nouvelles se précipitèrent et le poste 4 annonça que les échos étaient plein est et à la verticale du Viaduc. Le Président pâlit.

— Ils vont bombarder l'ouvrage, dit-il.

— Bombarder, fit Lichten...

— Ils survoleront le Viaduc et lâcheront des explosifs, des bombes... J'ai lu autrefois quelque chose sur les bombardements aériens avant la Grande Panique... Prévenez poste 4... Qu'ils contrôlent attentivement les indicateurs de continuité de toutes les voies.

— Allons-nous être isolés ?

— Je ne sais pas... Qu'un des trains D.C.A. parte

146

à la poursuite de ces échos. Tous feux éteints, et qu'une fois à bonne portée, ils allument les phares et tirent.

— Bien, dit Lichten.

Mais le radariste les alerta :

— Echo à cinquante kilomètres.

— Altitude ?

— Je ne comprends pas, dit le technicien.

— Nous n'avons pas les moyens de calculer une altitude, dit le chef d'état-major contrit... Nous n'avons même aucune idée de cette notion. Nous n'avons jamais vu voler que des goélands et nous ne pouvons jamais dire à quelle hauteur ils sont. Nous avons perdu cette notion d'évaluation.

La Société ferroviaire n'utilisait en gros que deux dimensions. Allait-elle périr victime de son refus d'évoluer vers d'autres formes de transport ?

— Il marche très vite, dit le technicien. Il n'est plus qu'à quarante kilomètres.

— Vitesse maximum, dit Lichten.

Le téléscripteur donnait des nouvelles du poste 4. Pour le moment les équipements électroniques marchaient. Sinon on passerait sur l'écoute téléphonique. Le poste signalait que le train D.C.A., immatriculé TB 213, filait vers l'est avec pour mission d'abattre les dirigeables.

— Ils continuent de naviguer vers nous.

— Il leur faudrait trois heures pour nous atteindre, alors que celui qui est solitaire sera sur nous dans moins d'un quart d'heure. Si seulement nous pouvions évaluer sa hauteur.

Le Président mit sa cagoule et passa le sas du wagon pour sauter sur le tablier du Viaduc. Il s'approcha de la bordure nord, scruta la nuit. Comment se repéraient-ils, ces gens-là, pour voler de nuit sans balise, sans instruments très sophistiqués ? Les compas magnétiques subissaient des sautes de précision inquiétantes dans ces régions. Pour des riens, pour une ancienne épave de navire flottant sur la banquise, pour un volcan vomissant du fer en fusion.

Il retourna dans le P.C. et fit signe à Lichten de le suivre à l'écart :

— S'il existait une balise clandestine, ou des tas le long du Viaduc ? Placées dans la glace par les techniciens, ou n'importe qui ? Les dirigeables viennent toujours sans coup férir dans cette direction.

— On pourrait la repérer avec la gonio.

— Tout à l'heure.

Le technicien se tourna vers eux :

— Dans cinq minutes il sera là. Il dévore la distance à deux cents à l'heure. J'ai l'impression qu'il n'est pas très haut si je m'en réfère aux dernières images que j'ai consultées. Il me semble qu'on pourrait calculer ça... J'ai une vague idée.

Les canons de D.C.A. se trouvaient en alerte. Dès que le dirigeable serait à portée ils tireraient sans sommation. Le Président espérait que l'épave pourrait être récupérée, avec même des survivants.

— On allumera les batteries de phares quelques secondes avant le tir seulement. Ils ne portent qu'à deux cents mètres mais leur rayonnement atteint cinq cents mètres. Un objet de deux cents mètres de long doit quand même se distinguer.

— Il vaut mieux rester dans ce train blindé, dit Lichten, si jamais ils ripostaient ?

— Il ne faut pas leur en laisser le temps.

CHAPITRE XXVII

Melkian avait encore déchiré sa combinaison isotherme en essayant de s'insérer entre deux wagons trop proches, et elle se demandait comment il avait pu échapper à la congestion. Elle avait dû faire une réparation rapide sur place puis l'aider à se sortir de ce pétrin. Déjà en partie paralysé par le froid il ne coordonnait pas ses gestes et serait mort en quelques minutes. Elle le tira de toutes ses forces pour le ramener au loco-car qui haletait à cent mètres de là. Une chance que la voie ait été libre pour le faire rouler si près des vieux wagons pleins de cadavres. Elle le poussa dans le sas puis dans le poste de pilotage, le fit coucher et commença de le dépouiller comme un animal.

— Je vous en prie.

Elle n'écoutait rien, avait poussé à fond le chauffage. Heureusement la machine était en bon état. On ne les avait trompés que sur une chose, la qualité de la nourriture, sinon le reste était convenable. Ils avaient une grosse réserve d'huile et en avaient même trouvé dans l'ancienne station des Eboueurs.

Elle le dénuda, le frictionna avec vigueur, lui fit boire de l'alcool.

— Je ne suis plus bon à rien puisque je déchire cette combinaison sans arrêt et que je me laisse déshabiller par une jeune femme. Je vous en prie, je suis terriblement gêné.

Elle le protégea sous des couvertures et l'abandonna un court instant pour aller prendre le café brûlant qui attendait dans une Thermos. Elle lui en servit, en prit elle-même.

— C'est de la folie, disait-il. Il y a au moins dix rangées de wagons qui font obstacle. Et dessous c'est plein de congères impossibles à percer.

Le cimetière de ce côté-là formait une carapace unique de glace quand ils étaient arrivés dix jours auparavant. Elle avait dû travailler dur pour leur frayer un passage. Lui n'arrivait à rien. Il était maladroit, plein de bonne volonté mais n'avait pas de chance. Elle aurait voulu qu'il reste au chaud mais il s'y refusait. C'était sa quatrième déchirure de combinaison, la plus grande. Il avait failli y rester.

En buvant son café elle contemplait les rames de wagons. Lien Rag, Leouan et Harl Mern devaient se trouver tout au bout, et il aurait fallu un laser pour dégager la glace. Un laser puissant au lieu de ce chalumeau à huile.

— On passera par-dessus, dit-il, on percera les toits des wagons.

— Le tube du chalumeau sera trop court.

— On percera à la main.

— C'est de la folie.

Depuis qu'elle vivait au milieu de ces cadavres, elle s'habituait, mais les premiers jours elle devenait folle. Ils étaient partout et pas seulement allongés, mais debout ! Les pirates ou les Hindous venus pour les empiler dans des wagons avaient dû s'amuser à des scènes macabres, les avaient installés dans les différentes situations de la vie d'une petite station. On en trouvait dans les bureaux dévastés, près des machines à vapeur éclatées, en train d'atteler des wagons ou de balayer. Au début elle sursautait, s'excusait quand elle tombait nez à nez avec l'un d'eux. Maintenant elle s'en fichait, ne rêvait que de ce wagon aux caractères cyrilliques, au retour avec les trois cadavres, à Kaménépolis, à R, si paisible, si compréhensif.

— Vous restez au chaud, moi j'y retourne.

— Yeuse !

— Ne vous inquiétez pas.

— Je ne veux pas rester seul. L'autre jour vous m'avez laissé et deux se sont approchés du hublot pour me regarder. Je vous assure, je ne deviens pas gâteux. Il y en avait deux qui me fixaient de leurs yeux glacés.

— Fermez les volets d'acier.

Elle sortit et continua avec son chalumeau à dégager la voie. Elle espérait approcher encore le loco-car pour profiter du chalumeau. Dans ce coin il n'y avait que des piles de corps alignés. Pas de mise en scène lugubre. Des piles bien ordonnées de cinquante à soixante corps. Dix piles. Non; douze, peut-être plus. Certaines étaient transformées en congères.

Elle progressait lentement mais par la suite tout irait plus vite. Elle passerait par les toits. Peut-être trouverait-elle le moyen de rallonger le tuyau du chalumeau ou de fabriquer un réservoir. Dans la station en ruine il y avait peut-être un container quelconque.

Elle savait qu'elle devrait retourner à Transit Station pour se ravitailler, mais craignait surtout les questions des Aiguilleurs et de la police locale. Que faisait-elle avec ces cadavres, que cherchait-elle ? Au sud il y avait bien une station à cent kilomètres, mais y trouverait-elle tout ce dont elle avait besoin ?

Melkian lui posait un problème, désormais. Il l'empêchait de progresser comme elle l'aurait souhaité, mais c'était une présence rassurante. Au début sans lui elle ne serait pas restée deux heures parmi ces milliers de cadavres. Et maintenant c'était lui qui avait des hallucinations.

Lorsqu'elle eut dégagé une vingtaine de mètres, juste l'emplacement des roues, elle retourna dans le loco-car. Le vieillard avait fini par se rendormir et elle fit avancer le véhicule.

Bien sûr il lui fallait résister à la tentation de se faufiler à travers les rames, de casser la glace avec un piolet pour se rapprocher des wagons du fond. Elle risquait d'y accrocher sa combinaison protectrice et d'y perdre la vie. Le vieillard avait commis assez d'imprudences comme ça.

Elle travailla jusqu'à la nuit pour gagner encore quelques mètres. Puis pendant des heures elle devrait rester dans le loco avec Melkian qui ressassait sa vie, ses erreurs, ses crimes. Parfois c'était intolérable. Elle lui avait parlé du fils de Lien pour changer, et ça l'avait beaucoup intéressé cette histoire de Messie du peuple du Froid.

Cette fois il était réveillé et de bonne humeur puisqu'il avait préparé à manger.

— Ça sent bon, dit-elle. Pourtant ces vivres ne sont pas de bonne qualité.

— J'ai préparé des haricots avec de la graisse de porc. Ça changera. J'ai vu que vous aviez fait du bon travail. Demain ce sera mon tour.

Elle ne voulait pas entamer de discussion fatigante là-dessus, qui se terminerait par une bouderie du vieillard. A Kaménépolis il était émerveillé, avide de savoir. Jamais elle n'aurait dû accepter qu'il l'accompagne.

— Nous retournons à Transit bientôt ? demanda-t-il une fois à table.

— Après-demain. Nous avons besoin de remplir les réservoirs d'huile. Et de trouver autre chose à manger.

— On se méfiera de cette famille désormais.

— C'est elle qui s'est occupée de la nourriture. Elle a dû y gagner une centaine de dollars au moins.

Puis c'était la véritable nuit, la plus longue après le repas. Melkian s'endormait très vite mais se réveillait la plupart du temps en sursaut. Il faisait des cauchemars épouvantables à cause de ces morts.

— Vous n'êtes pas seul responsable pourtant.

— Je participais aux congélations.

— Ils vous ont pardonné depuis.

Il finissait par l'impressionner et elle allait parfois regarder par le hublot. Il y avait deux cadavres debout sur la banquise, à quelques mètres du lococar. L'un tenait une pelle à glace, l'autre fumait une cigarette que les pirates lui avaient collée à la bouche avec une pastille de glace. C'était parfois hallucinant et chaque soir, quand elle fermait les volets d'acier, elle se disait qu'à l'aube elle irait les renverser comme des statues et les traînerait derrière les congères.

— Après-demain? demanda-t-il dans la nuit.

— Oui, promis.

Elle l'aurait bien laissé à Transit Station mais aurait-elle ensuite le courage de revenir seule dans un tel lieu? Embaucher quelqu'un? Comment faire confiance à ces gens de la station? Tous lui paraissaient cupides et prêts à n'importe quoi pour gagner de l'argent.

Le vent se leva et se mit à hurler dans les ruines de la station. Elle finit par regarder au-dehors pour être sûre que c'était bien la tempête qui se lamentait ainsi.

CHAPITRE XXVIII

— Tu es un imposteur. Ton nom n'est pas Lien Rag.

L'homme à la fourrure grise se redressa et regarda autour de lui avec terreur.

— Tu te souviens du jour où tu as emprunté cette identité ? Tu étais recherché par toutes les polices ferroviaires de la Fédération.

Le chasseur de goélands recula d'un pas. On parlait dans sa tête et il ne pouvait pas le supporter. Jdrien, debout sur la draisine, le regardait fixement depuis que Huco lui avait désigné le vieil homme :

— C'est celui-là Lien Rag. Mais comment le connais-tu ?

— Oh comme ça... On m'avait dit qu'il pourrait me fournir des tuyaux de plume mais je dois avoir confondu.

Huco était si stupide qu'il ne chercha pas plus loin. Les chasseurs avaient entassé les oiseaux sur une plate-forme tirée par une antique machine sans cabine. Plus loin leur wagon d'habitation, contre le heurtoir, était caparaçonné de glace pour l'isoler encore mieux.

— Je sais qui tu es maintenant. Tu as été pirate des glaces et tu as trouvé un passeport dans un endroit bien précis... Tu l'as volé dans le bureau

154

d'une station. Il y en avait des milliers et celui-là t'a plu car c'est un passeport banquisien. Une rareté à cette époque-là...

— Il vous regarde drôlement, ce Lien Rag.

— Oui. Je vais aller lui dire deux mots.

L'homme recula quand il vit Jdrien marcher vers lui, se retourna et se mit à courir. Les autres chasseurs le suivirent du regard.

Le faux Lien Rag parut aborder une zone beaucoup plus blanche, surélevée par rapport au reste de la banquise et d'un seul coup il disparut dans une tornade d'ailes et de cris. Des centaines, des milliers de goélands furieux s'envolaient pour défendre leurs nids et l'homme avait commis l'erreur de les oublier.

Il ressortit de ce nuage effervescent les mains sur le visage, et Jdrien vit couler du sang entre les doigts de ses gants.

— N'ayez pas peur, lui dit-il mentalement. Je ne vous veux pas de mal.

L'homme titubait et il le prit par le bras.

— Je vais vous conduire.

— Ils ont failli me crever les yeux... Comment ai-je pu les oublier sur leur guano?... Tant qu'on les laisse tranquilles ça va. Que me voulez-vous?

— Je sais tout.

— Vous avez...

Il se mit à hurler et Jdrien serra son poignet.

— Il a fouillé dans ma tête, il a fouillé dans ma tête...

— Taisez-vous ou je vous casse le bras. Dans ces régions ça ne pardonne pas et vous le savez.

L'imposteur se tut. Jdrien vit les regards de fauves posés sur eux. Les autres chasseurs s'interrogeaient et là-bas Huco commençait à réagir en tripotant son fusil.

— Il faut vous en sortir, dit Jdrien mentalement. Vous allez tous mourir ici sinon. On peut désarmer

Huco et nous rentrerons ensemble à Gull Station. Je vous dissimulerai dans les oiseaux et nous ferons rendre gorge à Salava.

Ils se regardèrent médusés, ne comprenant pas ce qui leur arrivait.

— Je vais prendre le fusil. Regardez bien. Nous rentrerons ensemble à Gull Station. Salava vous doit des comptes. Vous ne pouvez pas accepter de mourir ici dans cette solitude en travaillant comme des brutes.

Il soutenait toujours le faux Lien Rag.

— Quand on sera près de Huco tu tomberas comme une masse à ses pieds. Il se baissera et tu agripperas son masque protecteur, tu le lui arracheras.

— Il va me tuer.

— Non, en même temps je lui arracherai son arme.

— J'ai peur. Comment faites-vous pour nous parler dans la tête ?

— C'est un truc. Je travaille dans le spectacle. Ne vous inquiétez pas.

Ils étaient si frustes qu'il les convainquit que de tels êtres existaient vraiment et se produisaient sur des scènes.

— Voilà Huco.

Le second de Salava approchait.

— Il est dingue celui-là, aller vers les oiseaux qui couvent sur leur fiente.

L'homme tomba à ses pieds et se retourna sur le dos. Huco voulut se pencher et tout se passa comme annoncé par Jdrien. L'homme ne pensa plus qu'à son visage menacé par le moins cinquante degrés. Il protégea ses joues avec ses mains.

— Par pitié !

— Rends-lui son masque, dit Jdrien en braquant le fusil.

— Jamais, qu'il crève !

— Rends-le-lui.

Le faux Lien Rag se tourna vers lui :

— Il a fait le coup à des copains et les a laissé crever ainsi. Ce sont les yeux qui gèlent d'abord et ne peuvent plus bouger.

Mais Jdrien leur dit mentalement, les autres venaient de se rapprocher avec espoir, qu'ils avaient besoin de la silhouette de Huco pour se rapprocher de la station.

— On peut le tuer et le mettre debout. Il tiendra seul une fois congelé.

Il réussit à les convaincre. Il fit passer devant l'antique machine avec la plate-forme chargée d'oiseaux. Une semaine de chasse, certainement plus de dix mille goélands. Certains étaient énormes.

— On va atteler la draisine derrière.

Ils roulèrent ainsi vers la station. Huco avait de nouveau son fusil, mais vide de cartouches. Les chasseurs avaient grogné mais Jdrien avait été formel.

— On ne tuera personne. On peut avoir Salava facilement. Ne vous laissez pas emporter par la violence. Il ne faut pas que la police intervienne. Vous récupérerez votre argent, le droit de quitter cet endroit.

— Salava a d'autres armes, un fusil-mitrailleur, des grenades, et les artisans l'aideront car sans chasseurs, plus de plumes. Ils sont exploités mais le défendront.

— D'accord, dit Jdrien qui reprit le fusil.

Un chasseur plaça une manche de pelle dans les mains de Huco, histoire de faire illusion de loin.

— Nous approchons. Salava est dans le sas.

— Avec son fusil-mitrailleur, dit un chasseur.

Les autres étaient cachés sous les oiseaux. Salava

sortit alors qu'ils étaient à cent mètres, hurla dans un porte-voix.

— Halte, qu'est-ce que ça veut dire, Huco ? Pourquoi revenez-vous en tirant la draisine ?

— Réponds qu'elle est en panne, dit Jdrien.

Huco obéit mais Salava ne parut pas convaincu.

— Arrêtez ou je tire.

Alors le chasseur accéléra à fond en envoyant toute la vapeur, et la vieille machine se rua vers le chef de poste qui essaya de tirer, mais quelque chose dut enrayer son arme, le gel de l'huile de graissage. Il avait dû oublier de la nettoyer soigneusement. Par ce froid ça ne pardonnait pas.

— Descendez-le.

Jdrien s'y refusait et un des chasseurs sortit de sous les oiseaux, se rua sur lui, le désarma et tira. Le coup partit et le chef de poste fit un bond énorme en arrière, la poitrine traversée de part en part.

Le convoi pénétra dans le sas en le faisant voler en éclats et, d'un seul coup, la bande surgit dans une explosion de cadavres d'oiseaux, se rua vers les installations, les quais, et Jdrien resta seul avec Huco qui secouait la tête avec désolation.

— Les trains vont brûler la station jusqu'à ce que la police intervienne. Vous verrez... Salava avait tout prévu et il y a un code. C'étaient tous des bagnards ces types. Vous ne le saviez pas ? On nous les a confiés pour les faire travailler dur. Vous n'auriez pas dû faire ça.

CHAPITRE XXIX

Le poste 4 prévint que le train blindé 213, armé de batteries de D.C.A., avait les trois dirigeables sur son écran radar. Les aérostats survolaient le Viaduc à basse altitude sans qu'il soit possible de donner un chiffre. Le train roulait tous feux éteints, à la limite de sa propre sécurité. En cas d'interruption des rails il n'aurait que cinq cents mètres pour freiner. Le mécanicien pensait qu'il gagnait peu à peu sur l'objectif poursuivi et que l'équipage des dirigeables ne songeait pas à vérifier leurs arrières.

Le Kid fit une moue de scepticisme :

— Qu'ils se méfient.

— Le dirigeable va nous survoler, dit le technicien radar. Il approche du Viaduc. Le voilà, juste au-dessus de nous. Il fait un point fixe.

Le Président rageait qu'aucun instrument ne soit capable de préciser l'altitude. Dès le lendemain il donnerait des ordres. On trouvait sur le marché d'occasion des instruments dégagés de la sous-couche glaciaire. Il enverrait des acheteurs rafler tout ce qu'on avait remonté des anciens aéroports, par exemple.

— Président, il faut intervenir.

— Il grossit légèrement. Il doit descendre vers nous.

— Encore quelques secondes, dit le Gnome.

Dans le poste de commandement ils se regardèrent tous. Le Président prenait un risque insensé. Le dirigeable ne pourrait jamais être abattu d'un coup à cause de ses multiples ballonnets contenus dans l'enveloppe. Il aurait le temps de riposter et de faire des dégâts.

— Nous aurions dû embaucher les Harponneurs, dit le Président.

Ils pensèrent qu'il n'avait plus sa tête.

— Avec leurs harpons explosifs nous aurions agrippé sérieusement le dirigeable. Qu'est-ce que deux cents tonnes pour de tels grappins ?

Puis il se tourna vers Lichten :

— Allez-y.

Il se dirigea vers le sas, sortit sur la banquise juste comme les phares s'allumaient d'un seul coup, fixant le dirigeable dans leurs faisceaux croisés. L'aérostat était à moins de cent mètres, un peu à l'avant, vers l'est. Une ancre descendait vers le Viaduc.

Le Président aperçut des silhouettes sur la coursive extérieure qui ceinturait l'énorme nacelle. Et les lance-missiles, ainsi que les canons ordinaires, tirèrent.

Dans le vacarme il était impossible de voir si les ballonnets explosaient mais des jets de vapeur sortaient de l'enveloppe, de l'air plus chaud qui se vaporisait dans l'air polaire. Et la nacelle elle-même se déchiquetait sous les coups rapides d'une grosse mitrailleuse qui la prenait pour cible.

— Il dérive.

Le monstre s'écartait du Viaduc en direction du nord, poussé par un très léger vent du sud. Mais l'ancre qu'il s'apprêtait à ficher dans la glace crocha dans un rail, s'y arc-bouta.

Tout le monde put voir le rail se soulever, sur une dizaine de mètres, ses traverses en résine décollèrent du tablier de glace mais l'ensemble tint bon. Et le dirigeable commença de tomber.

— Cessez le feu, ordonna le Président.

La nacelle raclait le bord du Viaduc, arrachait de gros morceaux de glace, mettait à nu le filet des capillaires réfrigérants qui maintenaient une température constante. Plusieurs corps tombèrent sans vie sur le tablier, d'autres dans l'abîme en dessous.

Lorsque le feu cessa, des explosions continuèrent à se produire. Les ballonnets, crevés ou non, explosaient par suite d'une surpression certainement. La fourniture d'hélium continuait quand même. L'enveloppe, bien que percée de part en part en des dizaines d'endroits, résistait encore.

La nacelle resta accrochée au bord du vide et le boudin flasque bascula. La nacelle se renversa, s'écrasa et soudain prit feu.

Lichten avait tout prévu et les loco-pompes surgirent pour éteindre l'incendie avec leur pulvérisation d'eau floconneuse.

— Impressionnant, souffla le grand maître des Aiguilleurs debout à côté du Président.

— Il doit y avoir des survivants.

Des équipes se précipitaient pour ramasser les dix ou douze corps allongés sur les rails.

— Espérons-le, dit Lichten. Il faudra qu'ils parlent. Nous avons besoin de connaître les noms des complices intérieurs.

— Calmez-vous, dit le Président. Nous remportons une première victoire.

Il tourna le dos à l'incendie et sur ses petites jambes ridicules se dirigea vers le P.C.

— Le TB213 a attaqué les trois dirigeables. L'un d'eux a dû se retirer et reste invisible dans la nuit. Le commandant de cette unité de D.C.A. pense qu'il est gravement touché. Les deux autres résistent. L'un a pivoté pour attaquer de front avec des armes automa-

tiques et un lance-missiles moyen. L'autre bombarde
le Viaduc.

— Les renforts ?

— Ils accourent.

— Il faut en envoyer d'ici, Lichten.

— C'est fait. Deux convois sont en route. Mais il y
a dans les sept cents kilomètres. Six heures de route.

— Ils peuvent être obligés de se poser et de
combattre sur le Viaduc.

Puis il se posta devant l'écran du téléscripteur mais
les nouvelles se répétaient. On parlait de bombardement sans préciser s'il était désastreux.

— Le fait qu'on reçoive ces textes prouvent que
les rails sont encore continus.

On vint dire qu'il y avait quatre ennemis blessés
mais conscients. Deux allaient être opérés d'urgence,
les autres n'avaient aucune lésion importante.

— Je vais les interroger, dit Lichten.

— Votre place est ici, fit le Président. Nous
verrons plus tard.

Lichten restait viscéralement un policier avant
d'être un chef d'état-major, et le Président pensait
qu'il devrait nommer quelqu'un d'autre d'ici peu.
Lichten resterait à la Sécurité mais il avait besoin
d'un chef, capable d'oublier les tracasseries du main-
tien de l'ordre à tout prix et qui ne serait pas atteint
d'espionnite.

— Nouveaux messages.

Un autre train blindé avait rejoint le premier et
participait au combat. L'un des dirigeables semblait
avoir du mal à s'éloigner, alors que l'autre se tenait
maintenant hors de portée des missiles. Il continuait
à tirer en direction des trains mais ses projectiles ne
faisaient de dégâts qu'au Viaduc. Le Président crispa
les mâchoires. Son Viaduc ! On consisérait que c'était
sans importance, qu'il valait mieux que l'ouvrage

souffrît plutôt que les trains blindés et les hommes. Quelle stupidité !

— Il descend, hurla une voix dans le récepteur-radio, il descend et il y a des flammes dans la cabine. Il en a pris plein sa gueule. On va l'achever.

— Non, dit le Président. Il faut les obliger à se rendre. Où sont les deux autres appareils ?

— L'un reste visible et tire à distance, l'autre a disparu. Nous pensons qu'il a dû se poser en catastrophe sur la banquise mais dans la nuit.

Le Président tapa sur l'épaule de l'opérateur radar :

— Surveillez l'ouest. Il est possible que nous ayons une sale surprise.

— Nous sommes à sept cents kilomètres, ça nous protège quand même d'une sale surprise, non ?

— Ce troisième dirigeable a disparu dès le début du combat. Il peut foncer à deux cents à l'heure vers nous, arriver ici à l'aube alors que nous ne nous y attendrons plus.

— Je ne pense pas, dit Lichten. Pour eux c'est une grave défaite, une catastrophe et ils vont se retirer vers leur base pour réparer les dégâts.

Le Président continuait de tapoter l'épaule de l'opérateur :

— Restez vigilant, mon petit.

CHAPITRE XXX

Jdrien avait dû intervenir pour protéger les petits artisans qui fabriquaient les tuyaux de plume contre la horde sauvage des chasseurs de goélands. Ces gens-là étaient fous de se retrouver dans cette station et prêts à se livrer à tous les excès. Lui-même fut menacé à plusieurs reprises et, chose curieuse, ce fut le faux Lien Rag qui lui sauva la vie. En fait il dit qu'il s'appelait Xemy.

— Non, dit Jdrien, c'est un faux nom.

— Vous lisez en moi encore ? Ce n'est plus un tour de magie ça. Qui êtes-vous ?

Ils se trouvaient ensemble dans la gare, en train d'examiner une draisine à cabine. Ils pensaient s'éloigner. Personne ne pourrait plus raisonner les chasseurs et la police ferroviaire finirait par intervenir. Jdrien avait promis à ce Xemy, puisque Xemy il y avait, de lui donner de l'argent.

Morah les rejoignit derrière les wagons remplis de sacs de plume.

— Venez, je connais le secret de Salava.

C'était un wagon automoteur tout simplement, qui ne payait pas de mine. Mais son diesel tournait rond et un énorme réservoir occupait le tiers du wagon. Sans attendre ils démarrèrent en direction du nord. Morah préférait quitter sa cantina avec ses quelques économies. Elle couvait Jdrien d'un regard d'adoration. Le garçon se demandait ce qu'il pourrait bien faire d'elle.

Il leur fallut rouler nuit et jour, patienter sur des voies d'attente pour passer inaperçus et rejoindre Lake Station pour commencer. Ils y achetèrent de la nourriture puis continuèrent vers le Capricorn Network.

— Ecoutez, lui dit Xemy, je suis recherché dans des tas de Compagnies pour divers délits. J'étais parmi les pirates qui ont ravagé pas mal de stations. Et le passeport de votre père, je l'ai trouvé dans la station des Eboueurs de la Vie Eternelle. Vous savez qui c'étaient ces cinglés ?

Il le lui expliqua.

— Des milliers de cadavres congelés. C'était ça leur titre de gloire, leurs références si vous préférez. Quand quelqu'un doutait de leur efficacité ils lui faisaient visiter leurs trains-cimetières. Le passeport était dans les classeurs.

— Vous mentez, dit Jdrien. Vous mentez. Vous essayez de cacher quelque chose que je n'arrive pas à saisir dans votre cerveau.

Xemy lui fit face :

— Du calme, hein ?

Il sortit une arme, un revolver ancien qu'il avait dû acheter à Lake Station :

— J'en ai marre de toi... Tu me pousses à bout. Je vais vous laisser tomber toi et la grosse, sur la banquise. Vous puez le Roux tous les deux. Deux sales métis, voilà ce que vous êtes.

Il ne faisait pas attention à Morah qui s'activait dans la cambuse et qui en sortit avec un énorme rouleau de viande congelée. Au premier coup sur le crâne il tomba comme une masse.

— C'est une ordure, dit-elle, balancez-le par le sas.

— Non, il doit m'expliquer d'où vient ce passe-port.

Elle l'attacha solidement et ils attendirent qu'il sorte de son évanouissement. Il commença par les injurier mais Morah le menaça d'un couteau de cuisine avec une telle expression de sauvagerie qu'il ravala ses insultes.

— Si tu dis la vérité, dit Jdrien je te laisse ce wagon automoteur une fois à Pipes Station. Tu iras te faire pendre où tu voudras.

— La belle affaire, le vol de ce véhicule doit être signalé dans toute la fédération et vous connaissez le tarif pour celui qui commet un tel crime...

— On peut aussi te laisser sur la banquise, suggéra Morah.

Xemy ferma les yeux comme s'il réfléchissait. Jdrien profita de la voie d'attente suivante pour s'arrêter et ouvrir le sas. Le froid entra et Xemy commença de protester.

— Nous, on peut résister une bonne heure, dit Jdrien, toi pas plus d'une dizaine de minutes, et encore tu auras le visage gelé, le nez qui tombera en morceaux ou d'un coup.

— Vous êtes cinglés... D'accord, mais refermez le sas. On va tous y passer.

— Vas-y, on t'écoute.

— C'est un mec dans Stanley Station qui m'a proposé d'échanger nos passeports.

— Il y a longtemps ?

— Quatre ans, peut-être cinq... Bien avant que je me fasse posséder par Salava et que je devienne chasseur forcé.

— Qui était ce type ?

— Un traîne-wagon comme moi.

— Sa description.

Jdrien plongea dans les souvenirs de cet homme et eut l'impression de s'enfoncer dans une cuve emplie de bêtes répugnantes. Xemy était terrorisé, avait la sensation horrible que ce garçon disséquait son cerveau à vif. Il se mit à hurler et Jdrien dut interrompre cette exploration dangereuse pour tous les deux.

— Je vous en supplie, ne recommencez jamais, jamais.

Morah effrayée regarda Jdrien à la dérobée. Etait-ce un dieu ou un démon qu'elle adorait ?

— J'ai vu un homme encore jeune avec une barbe noire. Mais je n'ai pas pu discerner ses traits.

— Moi non plus je ne sais pas bien, dit Xemy. On voyageait ensemble dans un wagon rempli d'humus... Oui de l'humus récupéré dans une mine du nord... Ça puait mais on avait chaud car ça fermentait... On était une demi-douzaine. On avait donné un peu de fric au chef de train et on arrivait à Stanley. Il était allongé à côté de moi et il m'a proposé d'échanger nos passeports. Je ne voulais pas marcher et puis j'ai vu que c'était un passeport banquisien et j'ai sauté sur l'occasion, vous pensez. Fermez ce sas, on va crever.

Jdrien repoussa la porte et Morah donna un peu plus de chauffage. L'homme cessa de protéger son visage du froid.

— Moi j'en avais un au nom de Xemy, un faux, un transeuropéen. Difficile de contrôler dans ces régions si c'était un faux. Je voulais aller dans la Compagnie de la Banquise. Mais par la suite j'ai pris du retard pour finalement me retrouver sur le point de crever à Gull Station.

Cette fois Jdrien était à peu près certain que l'homme ne mentait plus.

— Mais j'ai été pirate et j'ai ravagé la Compagnie des Eboueurs il y a dix ans.

— Pourquoi m'en as-tu précisément parlé ? Tu

pouvais me raconter tout de suite l'échange de passeports.

— Ce Lien Rag m'avait dit qu'il s'était échappé de chez eux précisément.

Jdrien essaya d'explorer le cerveau de l'homme mais Xemy avait trouvé la parade, se concentrait sur une seule pensée sans importance, par exemple en ce moment sur une table bien garnie dont il faisait le lent inventaire. Jdrien ne pouvait franchir ce barrage.

— Quelle impression t'a-t-il faite ?

Tout en écoutant la réponse il surveillait le processus intellectuel de l'individu.

— Il se sentait traqué lui aussi, mais pas pour de simples délits comme nous tous dans le wagon, Il m'a donné l'impression de s'être échappé d'un train psychiatrique. Justement il y en avait qui tournaient à cette époque dans la Fédération. Qui aurait échangé un passeport banquisien contre un papier mal imité, je vous le demande ?

— Tu penses qu'il était fou ?

— Non... obsédé par quelque chose... Il oubliait de bouffer parfois. Pendant le voyage.

— A Stanley Station tu l'as revu ?

— Un soir, dans une sorte de bar.

— Comment étaient morts les gens victimes des Eboueurs ?

— Par congélation, c'était leur méthode.

— Tu crois qu'on peut en réchapper ?

— J'en sais rien. Il y en a qui disent que c'est arrivé, qu'on a ranimé un type mort depuis des semaines, mais ce sont des légendes très certainement.

Morah attendit un moment avant de demander ce qu'on faisait de lui.

— On se séparera à Pipes Station comme annoncé.

CHAPITRE XXXI

Le dirigeable dont on avait perdu la trace se signala, comme prévu par le Président, quelques heures plus tard, en attaquant les deux trains blindés que le grand maître avait envoyés en renfort vers l'ouest. Ils devaient circuler avec des lumières dans une zone où le commandant de l'expédition pouvait se croire en sécurité.

L'un d'eux fut littéralement pulvérisé par des missiles de forte puissance, l'autre un peu en retrait fut prévenu grâce à la veille radar, et put échapper en partie à l'attaque et obliger le dirigeable à prendre de la hauteur. Malheureusement ses phares ne purent le situer et l'aéronef commença de le bombarder avec des grenades de taille inusitée. Le mécanicien dut entreprendre des manœuvres dangereuses pour échapper à cette attaque, filant tantôt vers l'ouest tantôt reculant vers l'est, en évitant les voies qui avaient sauté.

Mais le dirigeable continua vers le terminus du Viaduc où tout était prêt pour le recevoir.

— En cas de bombardement, dit Lichten, nous ne pourrons pas faire grand-chose s'il est là avant l'aube.

— Il s'est retardé.

— Pour mes deux trains c'est catastrophique. Il y a

169

beaucoup de morts et le Viaduc est saccagé sur une bonne partie, avec juste deux voies intactes.

L'aube se leva bien avant l'arrivée de l'appareil. Les soldats étaient visiblement terrorisés par ces monstres de l'air, et certains refusaient d'admettre qu'il s'agissait d'une création humaine, pilotée par un équipage humain. Les officiers avaient fort à faire pour calmer les esprits.

— Le voilà !

Il apparaissait comme un point dans le ciel et devait être à une altitude incroyable. Le Président continuait de rager contre cette impuissance à pouvoir évaluer la hauteur. Mais un technicien qui venait de faire des observations avec un appareil bricolé, et compte tenu de la taille supposée de cet aérostat, vint affirmer qu'il était à trois mille mètres au moins.

— Il ne survole pas le Viaduc, dit le Président.

Lichten affirmait qu'il venait se rendre compte des dégâts subis par l'autre appareil.

— Il n'y aurait que deux rescapés.

— Deux sur quatre, fit le Président. C'est une victoire mais pas exceptionnelle. Ils peuvent retourner chez eux et préparer leur revanche. Si nous avions pu les descendre tous, nous leur aurions vraiment porté un coup fatal. Moralité, il faut des projecteurs de très grande portée, des appareils pour mesurer leur altitude et des lance-missiles adaptés. Nous prendrons aussi des lance-harpons pour les capturer quand ils ne sont pas très haut. Les Chasseurs de Baleines capturent leur prise jusqu'à un kilomètre de distance, et leur câble peut tracter une masse équivalente.

Lichten encaissait sans broncher. Il sentait que le Président lui retirerait son titre de chef d'état-major, mais il préférait s'occuper de la sécurité intérieure. Il avait désormais beaucoup à faire avec ces Rénovateurs infiltrés dans la population de la Compagnie.

Dix années de laxisme et de pseudo-démocratie avaient failli conduire au désastre. Le Président libérait sa hargne sur lui bien sûr, mais il avait d'énormes torts.

— Président ? Un message radio pour vous.

— De la part de qui ?

Timidement le jeune radio pointa son doigt vers le dirigeable qui n'était toujours qu'un point noir au nord du Viaduc.

— Ceux-là... Ils disent que c'est leur chef qui veut vous parler.

— Vous rêvez ?

— Non, Président... Que dois-je répondre ?

Le Président se souvenait qu'il avait déjà refusé le dialogue avec ces gens-là une fois, dix ans auparavant. Et il avait eu le tort de les oublier. Ils avaient failli détruire son Viaduc.

— J'y vais.

— Président, protesta Lichten, il n'y a aucune raison pour entrer en pourparlers avec ces êtres-là. Ce ne sont pas des ennemis habituels... Les Accords de N.Y. Station les considèrent comme des exclus, des parias et...

Mais le Gnome n'écoutait plus et pénétrait dans le P.C. pour prendre les écouteurs.

— Vous êtes bien le Kid ?

— Il n'y a plus de Kid, juste le Président de la Compagnie de la Banquise.

— Bien, fit la voix ironique. Mon nom est Ann Suba et j'ai été nommée à la quasi-unanimité à la tête de la Compagnie Internationale des Dirigeables de la Fraternité.

C'était une femme ? Pourtant à la radio elle paraissait avoir des intonations masculines.

— Président, vous avez eu tort d'abattre deux de nos dirigeables. La guerre va désormais prendre une autre apparence. Vous croyez nous avoir porté un rude coup, mais dans moins de six mois nous attaquerons en plusieurs endroits, aucune de vos stations ne sera à l'abri de nos bombes, et surtout des énormes lasers que nous sommes en train de mettre au point.

— Je vous fais remarquer que les premières attaques sont de votre fait.

— Vous êtes l'allié de Lady Diana et ça nous suffit. Vous êtes prêt à vous lancer dans une croisade contre tous les Rénovateurs du Soleil. Votre grand maître Lichten est notre ennemi juré. Il est en liaison secrète avec les services secrets paraméricains pour traquer tous ceux qui rêvent de revoir un jour cet astre, source de la vie sur la Terre. Que vous le vouliez ou non notre but sera atteint, et nous aurions aimé que vous vous y associez. Il ne s'agit pas de commettre les erreurs d'autrefois. Nous voulons progressivement convaincre les populations que l'ère glaciaire finira un jour, et qu'il faudra modifier complètement les habitudes de survie.

— Vivre sur l'eau et dans une brume perpétuelle sur deux ou trois générations.

— On peut étudier ces problèmes, les analyser et trouver des solutions. Mais vous refusez tout en bloc. Nous vous attaquerons, parce que vous avez une technologie avancée qui nous servira et que vous êtes plus vulnérable que la Panaméricaine. Voilà ce que j'avais à vous dire. Mais si vous voulez conclure un accord avec nous, nous serions heureux de vous recevoir à notre bord pour en discuter.

Le Président frissonna.

— C'est absolument hors de question, dit-il sèchement. Vous ne pourrez jamais imposer par la force ce que les gens refusent farouchement. Il a fallu trois siècles pour parvenir à conquérir une vie décente. Vous ne pouvez tout abolir d'un seul coup. Vous ne trouverez que des fanatiques pour vous aider.

CHAPITRE XXXII

Une fois de trop, pensait Yeuse en s'efforçant de garder sa lucidité, sinon elle allait se mettre à hurler, mettre le cap sur le nord pour fuir ces trains-cimetières.

Une fois de trop. Melkian avait déchiré sa combinaison et en était mort, foudroyé par une congestion. Il avait voulu la rejoindre, se faufiler entre les wagons, n'avait pas vu cet éperon saillant de fer qui avait ouvert son vêtement sous le bras. Une fente de quarante centimètres. Seul il avait essayé de s'en sortir, de retourner au loco-car mais le froid l'avait terrassé à quelques mètres du sas. Pendant ce temps elle travaillait sur le toit d'un wagon portant des caractères cyrilliques.

Elle avait attaqué la glace au piolet, y avait versé du sel, puis avait utilisé un petit chalumeau portatif mais peu efficace. Un travail énorme, épuisant, et lorsqu'elle était revenue au loco-car pour se reposer, manger quelque chose, elle avait vu Melkian étendu sur le ventre, déjà congelé.

Pendant des heures elle avait tenté de le ranimer, avait traîné son corps à l'intérieur, poussé le chauffage, l'avait massé avec de l'alcool, mais en vain. Il n'avait même pas dégelé et elle avait dû le tirer dans la soute du fond, là où l'on pouvait conserver les aliments frais.

La nuit allait venir et les deux cadavres la regardaient, celui avec la pelle et l'autre à la cigarette. Elle baissa sa cagoule et se dirigea vers eux.

— C'est assez, hurla-t-elle, assez !

Elle avait cru les renverser d'une pichenette mais ils s'accrochaient dur à la banquise, et elle dut pousser très fort pour qu'ils consentent à se coucher. La pelle tomba à côté et elle la ramassa pour essayer de les couvrir de glace mais n'y parvint pas et jeta l'outil, retourna au chaud dans son loco-car, avala un peu d'alcool.

Seule. Demain peut-être elle repartirait chercher du ravitaillement. Elle avait retardé ce jour dès qu'elle avait trouvé ce wagon aux caractères cyrilliques.

Dans la nuit elle se réveilla en hurlant. Un cauchemar dont elle ne se souvenait plus la poussa vers le poste de pilotage et, encore frissonnante, elle accéléra le diesel pour arracher le véhicule au piège de la glace en train de se reformer sur les rails, abaissa la manette qui envoyait de la vapeur salée et enfin le loco décolla en marche arrière.

Plus loin il lui fallut descendre pour passer l'aiguillage qui, évidemment, était bloqué. Elle le dégivra à la lampe à souder. Il avait tendance à rester en position fermée et il aurait fallu être deux pour l'en empêcher. Elle dut inventer tout un système de câbles, de poulies, pour atteindre le réseau principal. Et juste au moment où elle pensait réussir, le signal passa au rouge, et elle attendit un quart d'heure un marchandises qui se traînait à petit vitesse vers le sud. Trop de wagons pour une antique patache à diesel-vapeur essoufflée. Enfin elle put emprunter une voie lente. Chaque fois qu'elle tenta d'accrocher la voie moyenne vitesse elle trouva les aiguillages bloqués.

Elle passa la nuit à faire des petits sauts de vingt à quarante kilomètres, s'endormant parfois devant un feu, se réveillant pour constater qu'il était passé au vert mais qu'à nouveau il se retrouvait rouge. Elle crut devenir folle, n'atteignit Transit Station que vers midi et dut attendre que le sas soit libre. Puis, une fois stationnée sur une voie de garage très éloignée, elle vit arriver la draisine du receveur qui voulut lui faire payer quarante-huit heures de séjour d'avance.

— Je ne reste que douze heures.

— C'est le tarif. Autre chose, vous êtes priée d'aller voir l'Aiguilleur Michael qui fait fonction d'officier de police dans le coin.

— Il me faut du ravitaillement, des vivres de qualité, vous pouvez vous en occuper.

— Oui mais il faut payer d'avance.

Pour cent dollars il promettait des merveilles et sans trop y croire elle sortit son argent. Il la conduisit jusqu'à la gare centrale. L'Aiguilleur Michael la fit attendre une heure avant de la recevoir dans son bureau.

— Que faites-vous là-bas dans le sud à fouiller les cadavres, êtes-vous en train de les piller ?

— Je suis mandatée par le Président de la Compagnie de la Banquise, dit-elle en sortant l'accréditif que le Kid avait bien voulu lui signer la veille de son départ.

Il parut impressionné :

— Vous cherchez des corps ?

— Trois exactement.

— Avec votre père ? Il vous accompagne ?

Si elle disait qu'il était mort il n'en finirait pas avec les formalités, les questions, les soupçons.

— Il doit m'aider à les identifier.

— Personne n'a le droit d'aller là-bas sans autorisation. Vous auriez dû venir ici vous présenter et attendre mon aval. Je ne peux vous laisser repartir là-bas.

Elle haussa les épaules.

— Tant pis, le Président de la Banquise enverra une mission.

— Une mission ? fit-il inquiet.

— Avec le grand maître Lichten. Notre Président a des actions de cette Compagnie et possède même des kilomètres-tonnes sur le réseau. Il peut venir ici avec une ou deux unités de guerre, la loi l'y autorise.

Il signa l'autorisation de rechercher les cadavres de Lien Rag, Leouan et Harl Mern. C'était précisé sur le papier.

Le receveur de l'octroi avait bien fait les choses et apporté de la bonne nourriture.

— Je vais vous aider à la mettre dans la soute.

Elle pensa au cadavre de Melkian.

— Pas question. Placez-la dans la cabine.

Elle lui redonna cinquante dollars et put enfin repartir. En route, toujours sur une voie lente, elle se demanda ce qu'elle venait faire dans cet horrible endroit. Il lui aurait été si facile de rentrer à Kaménépolis, d'oublier vraiment cette fois.

Il faisait nuit lorsqu'elle traversa le réseau pour emprunter la petite voie, et pour cela elle avait dû patienter une heure que le trafic soit nul. La signalisation ne marchait pas très bien.

Quelqu'un avait réparé l'aiguillage, peut-être une équipe de cheminots volants.

Mais en approchant elle aperçut les feux de position d'un autre loco garé là où elle avait séjourné deux semaines. Elle prit le vieux revolver acheté avant de venir la première fois et attendit.

CHAPITRE XXXIII

On frappa une demi-heure plus tard à la porte du sas. Yeuse savait qu'elle ne résisterait pas longtemps. Dehors il y avait un homme, éclairé par son projecteur extérieur, à l'apparence inquiétante. Un traîne-wagon aurait-on dit, avec ses fourrures crasseuses.

— Que voulez-vous ? demanda-t-elle dans l'interphone.

— Mon nom est Jdrien Rag.

Elle n'y crut pas, lui fit répéter.

— Mettez votre visage sous la lumière.

A travers le Plexiglas de la cagoule elle reconnut les traits de Jdrien. Elle ne l'avait pas vu depuis des années. Elle ouvrit et lui tourna le dos tandis qu'il passait le sas.

Tout de suite il reconnut la silhouette d'une femme sous la combinaison.

— Vous êtes plusieurs, fit-il surpris. Que diable venez-vous faire dans un pareil endroit ?

Elle se retourna lentement et il la reconnut tout de suite malgré les griffures du temps. Il en rêvait encore assez souvent.

— C'est vraiment toi ?

— Tu ne fouilles plus dans l'esprit des gens ?

— J'attends de les connaître mieux de façon normale.

Il s'approcha et la prit dans ses bras.

— Je n'y crois pas.

— Il fallait que je sache, dit-elle... Je ne pouvais plus attendre, après la visite de ce vieillard.

— Quel vieillard ?

— Je t'expliquerai.

Pourquoi l'embrassait-il sur la bouche, essayait-il de glisser sa langue entre ses lèvres. Elle essaya de le repousser quand elle s'en rendit compte quelques secondes plus tard, mais il était très fort et la retenait prisonnière.

— Laisse-moi.

— J'ai envie de toi depuis douze ans.

— Tu en as dix-huit.

— Tu sais bien qu'à six ans quand tu me baignais j'étais déjà tendu... Je suis très Homme du Froid de ce côté-là, ne l'oublie pas.

— Laisse-moi, je suis mariée... Tu es le fils de Lien, presque mon fils. Je t'ai connu tout bébé, élevé... Non, c'est impossible.

Mais il ne la lâchait pas et cherchait à défaire sa combinaison. Elle l'avait gardée en cas d'attaque, ne sachant qui se trouvait dans le loco.

— Pas ici, dans ce cimetière, protesta-t-elle.

Mais il savait comment la dépouiller et elle se résigna.

— Bon, laisse-moi faire.

Haletante, elle se dénuda. Il s'agenouilla pour poser sa bouche sur son ventre et elle frissonna, ferma les yeux. Les volets d'acier étaient fermés mais ils étaient tous au-dehors, des milliers.

Il l'entraîna vers la petite cabine et elle s'allongea sur le lit tandis qu'il se dénudait. Le sexe-fourreau la fascina. Depuis des années elle n'osait y songer. Elle tendit la main, le dépouilla.

— Tu sais je...

— Tais-toi, dit-il avec autorité.

Il s'allongea à côté d'elle et glissa sa main entre ses cuisses blanches qu'elle trouvait un peu fortes.

Il refusa de se rhabiller et mangea ainsi avec son corps de demi-Roux dénudé, cette fourrure qui commençait à mi-cuisses, remontait vers le buste. Certains métis avaient le visage recouvert, un certain lieutenant qu'elle avait connu notamment.

Pendant qu'elle préparait à manger elle vit qu'il connaissait une autre érection et le laissa faire quand il la surprit dans la cambuse.

— Tu es insatiable, dit-elle au cours du repas en découvrant qu'il n'était pas apaisé.

— Depuis toujours. J'ai connu des filles rousses, et d'autres aussi mais je ne pensais qu'à toi.

— Tu voulais la femme de ton père, c'est ça?

— Je ne sais pas.

Lorsqu'elle se réveilla il n'était plus là et elle eut peur. Elle l'aperçut là-bas, sur le toit des wagons en train de creuser comme elle le lui avait expliqué. En hâte elle s'habilla pour le rejoindre. Un vent déjà fort soufflait du sud et faisait crépiter des balles de glace un peu partout. Déjà des rouleaux de glace se mettaient en mouvement.

— Il y a plusieurs wagons marqués de ces lettres étranges. Je me souviens en avoir vu en Sibérienne. Je savais même lire un peu, mais c'est si vieux.

Il travaillait dur pour ôter la glace et percer le toit en bois de ces wagons vieux de quatre siècles au moins.

CHAPITRE XXXIV

Deux jours durant les vents soufflèrent à trois cents kilomètres heure. Une tempête moyenne, mais un iceberg passa non loin de la station comme un énorme navire blanc. Des goélands tournaient autour, souvent plaqués par les rafales contre les parois abruptes.

Ils ouvrirent trois wagons et ne trouvèrent rien. Les corps s'empilaient très haut et il fallait les sortir l'un après l'autre. Au début ils étaient pénétrés de respect mais ensuite ils les poussèrent au fur et à mesure sur le toit des autres wagons. Ils finirent par basculer, par se fracasser et le couple n'y prit pas garde.

Ils retournaient manger, boire, faire l'amour. Elle était épuisée mais Jdrien se montrait très amoureux, finissait par l'entraîner dans son plaisir.

— Il reste deux wagons.

— Tu retourneras vers les Roux ?

— J'ai promis. Ils m'attendent dans le nord. Ils ont besoin de moi mais j'ai encore plus besoin d'eux.

— Je serai à Kaménépolis. Il faut que tu fasses la paix avec le Kid. Il croit que tu le combats, que tu es complice des Rénovateurs du Soleil.

Il l'écouta et ne répondit pas. Mais dans la nuit il lui parla de son demi-frère.

— Je sais qu'il est avec ces gens-là qui veulent faire fondre la Banquise. Les Roux le redoutent et parlent de lui comme de mon double mauvais. Un démon, disent-ils. Non, je n'aiderai pas le Kid. Il a voulu cette Compagnie, il doit la défendre seul. Moi j'ai le Peuple du Froid à aider.

Ce fut lui qui retrouva Leouan, cette métisse compagne de son père également. Il la reconnut et appela Yeuse. C'était bien cette jolie fille adorable que Yeuse avait aimée. Intacte dans son cercueil de glace.

— Ils sont là aussi ?

Jdrien disparut dans les profondeurs du wagon. Ils durent sortir une trentaine de cadavres pour retrouver le vieux professeur.

— Lui je ne me souviens pas, dit Jdrien.

— Oh moi si. Il n'y a aucun doute.

Mais ils vidèrent le wagon sans retrouver Lien Rag. Et le lendemain ils attaquèrent le quatrième et dernier wagon marqué de caractères cyrilliques. Là non plus ils ne trouvèrent pas le corps de Lien Rag.

— Il n'est plus ici, dit Jdrien, je le sens.

Yeuse pensa que l'un et l'autre avaient besoin de s'en persuader pour quitter définitivement ces trains-cimetières.

Achevé d'imprimer en décembre 1990
sur les presses de l'imprimerie Cox and Wyman Ltd
à Reading (Berkshire)

Dépôt légal : janvier 1991
Imprimé en Angleterre